Guía para identificar

Aves

Nicholas Hammond

Ilustrado por
Michael Webb

TIKAL

Título original: *How to Identify Birds*
Autor: Nicholas Hammond
Dirección editorial: Isabel Ortiz
Traducción: Pilar Tutor
Maquetación: Susie Bell, Equipo Tikal
Corrección: Álvaro Villa
Índice: Lisa Footitt
Preimpresión: Marta Alonso

Tikal Ediciones
C/ Campezo, 13 - 28022 Madrid
Tel.: 91 3009100 - Fax: 91 3009110
www.susaeta.com

Contenido

Cómo usar este libro

El objetivo de este libro es permitir que todos aquellos que no saben nada de las aves puedan reconocer 125 especies que son relativamente fáciles de ver. La mayoría de ellas son bastante comunes, pero en el libro se han incluido algunas que son muy características y que merece la pena realizar un pequeño esfuerzo por verlas.

La facilidad de uso es la base de la organización de esta obra. Identificar la especie a la que pertenece un ave no siempre es una labor sencilla. Con algunos grupos esta tarea se complica aún más debido a que hay varias especies similares, lo que puede abrumar a los principiantes hasta el punto de llegar a abandonar por completo el ejercicio de identificación. La mejor forma de aprender de aves es que un experto nos las muestre, pero esto no siempre es posible y a veces estar con uno puede resultar desmoralizador porque todo parece muy sencillo para él.

La idea de este libro es familiarizar al lector con 33 especies de aves comunes. Una vez que se hayan aprendido, nos proporcionarán puntos de comparación con las 92 restantes. Por ejemplo, si sabemos cómo reconocer un estornino, podremos usar este conocimiento como referencia para identificar un mirlo macho, un mirlo hembra, un charlatán adulto y un zorzal común juvenil.

Se les han reservado dos páginas a las principales especies, mientras que el resto de especies tienen una página cada una con aves similares. Esto significa que, después de haber detectado la diferencia entre el estornino y el zorzal común, encontrará aves similares a los zorzales comunes, como el zorzal charlo, el zorzal de alas rojas y el zorzal real.

El proceso de identificación es de deducción y reducción. Si se avista un ave que no reconoce como una de las 33 especies «clave», la lista posible se reduce al menos en 33. Pero se pueden ver en ella algunas características que esta ave desconocida comparte con una o más especies que el observador conozca ya.

Detalles que hay que buscar

Como muchas aves muestran vivos colores, es tentador pensar que el color es el rasgo más importante a la hora de identificarlas. El problema es que la luz puede variar de brillante a tenue hasta la casi oscuridad, y los avistamientos pueden ser fugaces. El tamaño, la forma, el sonido y comportamiento son rasgos de identificación más seguros.

Tamaño: puede ser muy fácil valorar el tamaño de las aves en el jardín o en la mesa para aves, pero a más distancia no resulta tan sencillo de calcular. Por ello, en los campos, en humedales o en mitad de una gravera inundada el tamaño significa muy poco a no ser que haya otras especies presentes.

Aunque se dan las medidas de la longitud de cada ave desde la punta del pico a la punta de la cola, calcular su tamaño puede ser muy difícil. En la descripción, hemos incluido una comparación con la especie principal más próxima en términos de tamaño. El ánade real hembra que se muestra aquí es una especie clave para comparar con otros patos (una cuchara común hembra y una cerceta hembra): todas ellas tienen un plumaje marrón moteado, pero hay claras diferencias en relación al tamaño y a la forma.

Ánade real *Cuchara común* *Cerceta*

Forma: ésta es la primera característica que hay que observar, pues ayuda a establecer la familia a la que pertenece el ave. Hay varias cuestiones que deben formularse en relación a la forma de un ave. Todas las aves tienen la misma forma básica, pero las proporciones varían: hay especies pequeñas y compactas y hay especies más grandes y esbeltas. Entre estos tipos se extiende una amplia variedad.

Pico: en la ilustración de la página 5 se puede ver que aunque todos estos patos tienen el pico plano, el de la cuchara común es mucho más grande. Ello es debido a que se alimenta barriendo la superficie del agua para capturar semillas y pequeños animales acuáticos. Pero además de una pista de los hábitos alimenticios del ave, la forma del pico es un buen rasgo de diagnóstico.

Las aves de presa y los búhos tienen picos ganchudos para rasgar la carne.

Los piscívoros tienen picos largos, fuertes y apuntados o largos y ligeramente curvados.

Los carriceros, lavanderas y otros insectívoros tienen picos finos para agarrar a sus presas.

Los pinzones tienen picos gruesos para descascarillar las semillas.

Comportamiento de las aves: las diferentes especies se comportan de manera distinta, lo que ayuda a identificarlas. Hay que fijarse en su forma de alimentarse. Por ejemplo, un ave con alas apuntadas que planea a unos 10 m sobre el borde de una carretera será un cernícalo, mientras que un ave de tamaño similar que planea con alas redondeadas será un gavilán. Ambas son aves de presa: el cernícalo busca pequeños mamíferos para caer sobre ellos, mientras que el gavilán espera a que se ponga a su alcance una pequeña ave. Ambas cazarán desde las perchas: el cernícalo desde un poste o rama de árbol dispuesto a caer sobre un ratón desprevenido, y el gavilán escondido en una percha entre las ramas de un seto a la espera de poder tender una emboscada a un pequeño pájaro.

La forma de volar de las aves es una pista particularmente útil. Los pájaros carpinteros, por ejemplo, tienen un vuelo ondulante, más obvio cuando éste se desarrolla a cielo abierto. Por otro lado, el martín pescador vuela rápido y bajo sobre el agua en un vuelo más recto que una flecha. Algunas especies, como los estorninos y las zancudas, vuelan en bandadas consistentes que giran al unísono, y otras como los pinzones lo hacen en bandadas más deslavazadas.

Voces y otros ruidos: las aves canoras cantan para establecer su posesión de un territorio y, en la época de reproducción, para buscar pareja. El canto resuena en la primavera y a comienzos del verano, pero algunas especies como el petirrojo cantan todo el año. Aprender a reconocer el sonido de las aves es una forma de identificar especies que no se pueden ver.

La mayoría de las especies emiten llamadas para ponerse en contacto con otras aves o para advertirlas del peligro. Sus llamadas son tan importantes como el canto en lo que se refiere a la identificación. Intentar definir los cantos y llamadas de las aves es muy difícil, pero hemos intentado describir los ruidos que hacen. Merece mucho la pena perserverar en el intento de aprender sus cantos y llamadas. Al final del libro hemos indicado algunas páginas web que incluyen el canto de las distintas especies.

Algunas aves emiten sonidos mecánicos para revelar su presencia. El correlimos tiene plumas rígidas en la cola con las que produce un sonido de tamborileo al saltar desde una altura al suelo. Otras, como los faisanes y las palomas torcaces, hacen ruidos chirriantes con las alas al salir volando cuando se sienten asustadas.

Dónde avistar aves

Con frecuencia el hábitat donde se avistan las aves nos da una pista sobre su identidad. Mientras que los alcatraces se suelen ver sobre el mar, fenómenos inusitados pueden desplazar a las aves: después de una tormenta, por ejemplo, las aves marinas pueden verse a varios kilómetros tierra adentro. Hemos incluido algunas dobles páginas donde mostramos cómo las aves utilizan los hábitats en los que se suelen encontrar. Estas páginas dan otra oportunidad de comparar especies similares y de aprender sobre su comportamiento.

Notas sobre las fichas de especies

Párrafo introductorio: cada ficha cuenta con una descripción introductoria del ave y algunos puntos de interés sobre su vida o historia.

Dónde se ven: describe los hábitats preferidos de las especies y su distribución en Europa.

Voz: incluye el canto y las llamadas en un intento de transmitir el sonido que realizan tanto de manera descriptiva como fonética.

Mapas de distribución: ofrecen una guía de dónde se puede encontrar cada ave en diferentes momentos del año. El color ***verde*** indica que el ave es residente y que se puede encontrar allí todo el año. El ***naranja*** quiere decir que el ave está presente sólo en la época de reproducción y que migra lejos en invierno y vuelve en primavera. El ***azul*** indica dónde pasa su tiempo fuera de la época de migración y el ***amarillo*** dice dónde sólo es estacional, de paso en su viaje migratorio.

Ilustraciones: se han incluido tantas ilustraciones como ha sido posible para mostrar el aspecto del ave con distintos plumajes y cómo se comporta. Tienen textos descriptivos.

Ficha de datos: el ***nombre científico*** es importante porque describe el género al que pertenece el ave y la especie. Por ejemplo, el mirlo común es *Turdus merula* y el zorzal común *Turdus philomelos,* lo que demuestra que son miembros del mismo género. La ***familia*** muestra qué especies pertenecen a la misma familia. El mirlo común y el zorzal común son ambos miembros de la familia de los Túrdidos, pero también pertenece a ella el petirrojo, aunque no tenga el mismo género. El ***largo*** y la ***envergadura*** pueden ser difíciles de evaluar y son engañosos como características de diagnóstico, pero se incluyen aquí como forma de comparación con aves de aspecto similar. Los ***nidos*** se incluyen como aspecto de interés y no como una ayuda para identificar las aves. Los ***huevos*** se describen de forma bastante esquemática y solamente con fines informativos. Las aves pueden poner más de una ***nidada*** de huevos. El ***alimento*** sirve de ayuda para la identificación, si se tiene la suerte de ver qué es lo que está comiendo el ave.

Áreas de cultivo

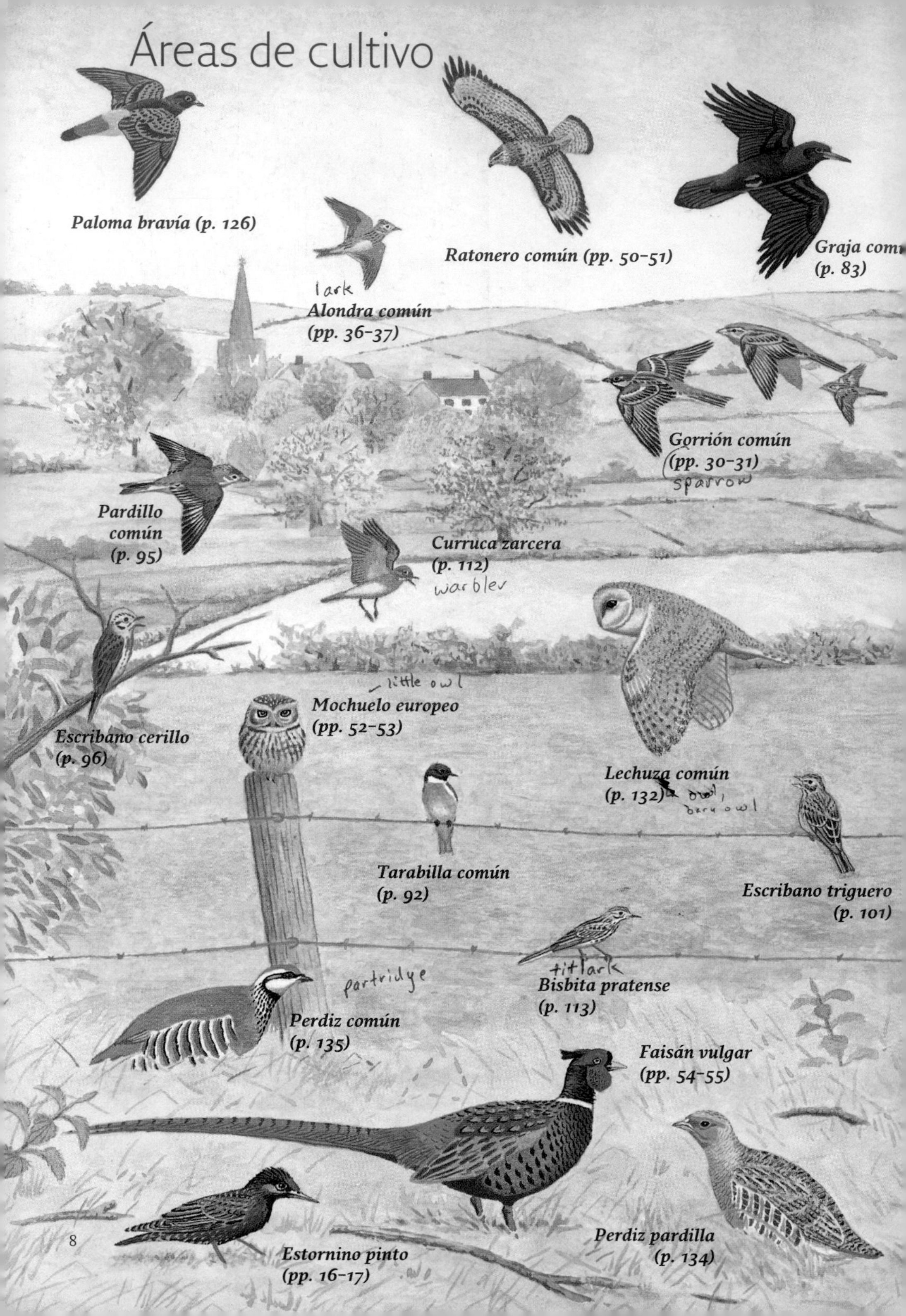

Paloma torcaz
(pp. 46–47)
Milano real
(p. 130) kite
Tórtola turca
(p. 124)
kestrel
Cernícalo vulgar
(pp. 48–49)
turtle dove
Tórtola común
(p. 125)
Paloma zurita
(p. 127)
Zorzal charlo
(p. 85)
Golondrina común
(pp. 44–45) swallow
Zorzal de alas rojas
(sólo invierno)
(p. 86)
alba (p. 93)
collalba
Lavandera blanca
(pp. 38–39)
sand piper
thrush
Zorzal real
(sólo invierno)
(p. 87)
green finch
Verderón común (pp. 28–29)
gold finch
Jilguero (p. 97)
Camachuelo
común (p. 94)
finch
Pinzón vulgar
(pp. 26–27)

Bosques

crow
sparrow hawk
Gavilán
(p. 131)
Corneja negra
(pp. 20–21)
Pico menor (p. 120)
Zorzal común
(pp. 22–23)
Papamoscas gris
(p. 89)
Mirlo común
(pp. 18–19)
blackbird
Mito (p. 106)
Urraca (pp. 40–41)
Reyezuelo sencillo
(p. 107)
Colirrojo real
(p. 90)
Petirrojo
(pp. 24–25)
Chochín común
(pp. 34–35)
Arrendajo común
(p. 84) jay
Chocha perdiz
(p. 139)
Grajilla común
(p. 82)

Cárabo común
(p. 133)
Pito real (p. 121)
blue titmouse
Herrerillo común
(pp. 32–33)
Carbonero común
(p. 104)
Trepador azul
(p. 122)
Agateador norteño
(p. 123)
Papamoscas cerrojillo
(p. 91)
Pico picapinos
(pp. 42–43)
Mosquitero común
(p. 111)
warbler
Curruca capirotada
(p. 109)
Mosquitero musical
(p. 110)
warbler
Curruca mosquitera
(p. 108)
Acentor común
(p. 88)

Estuarios

Tarro blanco (p. 163)
Ostrero (p. 146)
Correlimos tridáctilo (p. 143)
Ánsar común (p. 171)
Cisne vulgar (pp. 80–81)
Charrán común (pp. 66-67)
Archibebe común (p. 140)
Chorlito gris (p. 137)
Chorlitejo grande (plumaje de verano) (p. 148)
Avoceta común (p. 147)
Chorlitejo chico (plumaje de verano) (p. 149)
Aguja colipinta (p. 141)
Silbón europeo (p. 165)
Vuelvepiedras (p. 144)

Avefría (pp. 60-61)
Barnacla carinegra
(p. 170)
Correlimos común
(pp. 58-59)
Correlimos común
(pp. 58-59)
Barnacla canadiense
(pp. 78-79)
Andarríos chico (p. 145)
Zarapito real
(pp. 56-57)
Correlimos gordo
(p. 142)
Chorlito dorado
común (p. 136)
Agachadiza
común
(p. 138)
Cuchara común (p. 162)
Ánade real
(pp. 70-71)
Cerceta común
(p. 164)

Acantilados

Agua dulce

Alcotán europeo (p. 129)
Avión común (p. 118)
Vencejo común (p. 117)
Avión zapador (p. 119)
Escribano palustre (p. 100)
Cuco (p. 128)
Martín pescador común (p. 116)
Garza real (pp. 74-75)
Carricero común (p. 103)
Somormujo lavanco (pp. 72-73)
Zampullín común (p. 161)
Porrón europeo (p. 167)
Carricerín común (p. 102)
Focha común (p. 160)
Gallineta común (pp. 68-69)
Porrón moñudo (p. 166)
Lavandera cascadeña (p. 114)
Lavandera boyera (p. 115)

Estornino pinto

En primavera el ♂ adulto es menos moteado que las ♀. Las plumas del pecho están enmarañadas en primavera.

DATOS

Nombre científico *Sturnus vulgaris*
Familia Estúrnidos
Largo 20,5-22,5 cm
Nido En oquedades de árboles, edificios y cajas de pájaros
Huevos 5-7, azul claro
Nidadas 1-2 por año
Alimento Insectos y otros invertebrados, semillas y fruta
Voz Su canto mezcla sonidos chirriantes y silbidos. Imita con frecuencia llamadas de otras especies. Canta desde una percha saliente, con las alas abiertas.
Dónde se ve Ciudades, jardines, bosques y áreas de cultivo. Presente todo el año, pero de octubre a abril se une a bandadas de migratorias desde Europa. Anida en tropel en edificios, árboles y carrizales. Vuela en bandadas compactas.

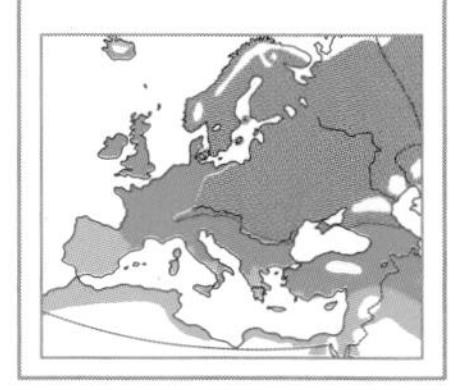

Los grupos de charlatanes estorninos son una visión menos común en las mesas para aves de lo que fue en el pasado, pero todavía son característicos en muchos jardines. El plumaje gris brillante de los adultos está moteado, el pico largo y puntiagudo es amarillo y las patas son rosas. En invierno, los estorninos son menos brillantes y más moteados. Las aves jóvenes son de un marrón grisáceo uniforme hasta que el plumaje adulto comienza a aparecer a finales del verano, aportándole un plumaje variopinto. Su postura es bastante erguida, con cola corta y modo de andar vivaz. El pico se utiliza para rebuscar insectos en el suelo y dar la vuelta a las hojas.

Las crías marrón grisáceas piden insistentemente comida. Hasta que mudan al plumaje adulto, las crías tienen un aspecto extrañamente heterogéneo.

El plumaje invernal es más moteado y menos brillante. Obsérvese el pico más apagado.

Desde finales de verano, los estorninos forman bandadas cerradas revoloteantes.

La cola corta y las alas cortas y puntiagudas parecen una punta de flecha en vuelo.

SIMILARES

Mirlo común ♂ **(p. 18-19)** Más rechoncho. Más marrón. Menos moteado

Mirlo común ♀ **(p. 18-19)** Más rechoncho. Más marrón. Menos moteado.

Zorzal común (pp. 22-23) Cola más larga. Motas oscuras sobre el pecho pálido.

Zorzal común juvenil **(p. 22)** Moteado en dorso.

Mirlo común

El ♂ adulto tiene plumaje negro, pico amarillo, anillo ocular amarillo y cola larga. Más larga que el estornino.

DATOS

Nombre científico *Turdus merula*
Familia Túrdidos
Largo 24-25 cm
Nido En forma de taza, base de musgo y revestido con barro y hierbas. Se encuentra entre troncos y ramas o en cornisas de edificios.
Huevos 3-5, color azul, por lo general moteado de rojo, pero puede variar.
Nidadas 2-3 por año
Alimento Gusanos, insectos y otros invertebrados, bayas, semillas y fruta
Voz Excelente cantante con voz aflautada llena de matices y que varía entre los machos. Canta de enero a julio y emite un subcanto suave en otras ocasiones.
Dónde se ve Jardines, bosques, áreas de cultivo, brezales de Europa, pero rara vez se ven a más de 200 m de árboles o arbustos. Residente en Europa occidental, pero los de Europa del este y Escandinavia migran al suroeste en invierno.

Una de las aves más comunes, ruidosas y extendidas de Europa, es una de las mejor conocidas. Los machos negro azabache con pico amarillo son relativamente fáciles de identificar. Las hembras y los jóvenes, marrones y con un plumaje ligeramente moteado, son fáciles de confundir con otras especies. El rico canto del macho lo convierte en el mejor cantor del jardín.

Los juveniles tienen pecho moteado pero con fondo más oscuro que el zorzal común. Más rojizo que la ♀.

Su capacidad para ser domesticados los convierte en un favorito de las mesas de jardín; la relativa frecuencia de los mirlos albinos o parcialmente albinos facilita su identificación. Los mirlos de las áreas boscosas son más tímidos que los de los jardines, que atacarán en grupos a los gatos que amenazan a las crías.

El mirlo emite gritos de alarma cuando se siente molestado. Un suave silbido muy díficil de localizar advierte de la presencia de aves de presa, mientras que se suele oír una nota gruñona repetida cuando se posa para pasar la noche.

La ♀ adulta tiene el plumaje marrón con garganta pálida y un leve moteado mayor y más sólido que el zorzal común.

En tiempo soleado, los mirlos toman el sol extendiendo las alas y alejándolas del suelo.

El vuelo es bastante entrecortado, con las alas apenas sobresaliendo del dorso. Alas bastante amplias con puntas más cuadradas que otros zorzales. Mantiene la cabeza destacablemente alta en vuelo. Siempre levanta la cola al aterrizar.

Los machos se exhiben de manera vigorosa en disputas territoriales.

Atraviesa a toda velocidad un campo, hace una pausa para comer y levanta el vuelo. Fuera de la época de cría se puede ver en campo abierto y parques, alimentándose en pequeñas bandadas (raramente de más de 15 ejemplares). Hurga entre las hojas caídas en busca de gusanos, insectos y pequeños animales. Suele ser ruidoso. Se alimenta de lo que cae de los árboles durante el tiempo muy frío.

SIMILARES

Estornino adulto **(pp. 16-17)** Postura erguida, vivaz, con cola más corta y pico más fino.

Estornino joven **(p. 16)** Más pálido que el mirlo joven. Por lo general avistado con adultos.

Zorzal común (pp. 22-23) Motas más oscuras sobre fondo más claro que el mirlo ♀.

Grajilla común (p. 82) Más grande que el mirlo. Nuca gris. Ojos azul claro. Pico negro.

Corneja negra

DATOS

Nombre científico *Corvus corone*
Familia Córvidos
Largo 45-51 cm
Envergadura 84-100 cm
Nido Gran nido en forma de taza de ramas, hacia la copa de los árboles, pero a veces en arbustos o riscos
Huevos 4-6, azul verdoso y moteado.
Nidadas 1 por año
Alimento Carroña, aves, huevos, pequeños animales, insectos, gusanos y material vegetal
Voz Un duro graznido «kraa» que repite tres o cuatro veces.
Dónde se ve En todos los hábitats, desde el centro de las ciudades a las costas de Europa. La corneja cenicienta del norte y este de Europa migra al oeste en invierno y algunas se pueden ver junto a cornejas negras en Francia y Países Bajos. Las negras crían en parte de Gran Bretaña, Francia, Alemania y España; las cenicientas, al norte y este de la línea discontinua; las negras, al oeste de la línea.

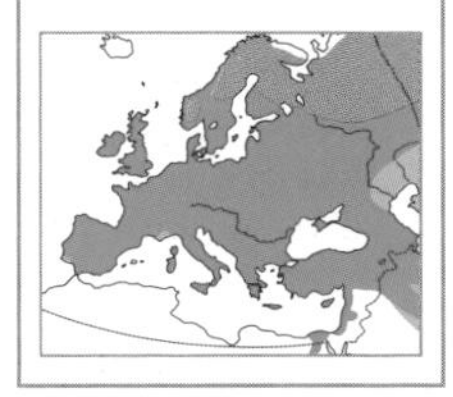

El adulto es completamente negro mate.

La corneja negra es una de las dos aves de Europa occidental completamente negras (la otra es el cuervo, más grande). También hay una raza gris y negra conocida como corneja cenicienta, con la que se entrecruza en ocasiones. Donde sus rangos se solapan, las razas crían entre sí produciendo diversas combinaciones de gris y negro.

Las cornejas negras suelen verse solas o en parejas. Es más probable que se vean en parejas en zonas donde hay comida, como vertederos, donde se suelen ver con otros miembros de la familia de los cuervos.

Al igual que todos los miembros de la familia de los cuervos, la corneja negra tiene una gran capacidad de aprendizaje.

La corneja cenicienta adulta tiene cabeza, alas y cola negras, y dorso, pecho y zona ventral gris.

Cola suavemente redondeada

Vuelo lento y trabajoso, con una acción de las alas como de remo, emitiendo una ronca llamada «kraa-kraa».

Corneja cenicienta

Corneja negra

Los nidos en lo alto de los árboles se suelen ver sobre todo en otoño y en invierno, cuando no hay hojas. Los nidos antiguos suelen estar ocupados por aves de presa como los cernícalos.

El plumaje negro tiene un brillo azulado cuando es nuevo.

Salta o camina por el suelo.

SIMILARES

Graja común (p. 83)
Pico afilado, claro. Frente alta. Muslos enmarañados. Matiz púrpura en el plumaje. Se ve en bandadas.

Grajilla común (p. 82)
Destacadamente más pequeña. Nuca gris, pero menos gris que la corneja cenicienta. Se suele ver en bandadas.

Estas especies suelen verse con las cornejas negras en las áreas de alimentación y hay muchas oportunidades para compararlas.

Zorzal común

DATOS

Nombre científico *Turdus philomelos*

Familia Túrdidos

Largo 20-22 cm

Nido En forma de taza, hecho de ramas, hierba y musgo revestido de barro, con frecuencia construido en una rama contra el tronco.

Huevos 3-5, claro, ligeramente moteado o jaspeado

Nidadas 2-3 por año

Alimento Gusanos, insectos, caracoles, fruta, bayas

Voz Llamada con fino «zit», menos duro que el del petirrojo (ver p. 24). Canto fuerte con notas estridentes y chillonas, pocas pausas breves y fraseo que repite hasta cuatro veces.

Dónde se ve Es un ave de hábitats boscosos que se ha adaptado a jardines y áreas de cultivo, donde hay árboles y arbustos. La presencia de caracoles y lombrices es importante. La mayoría de los zorzales comunes de Europa occidental son residentes, pero los del norte y este de Europa se desplazan al sur en invierno.

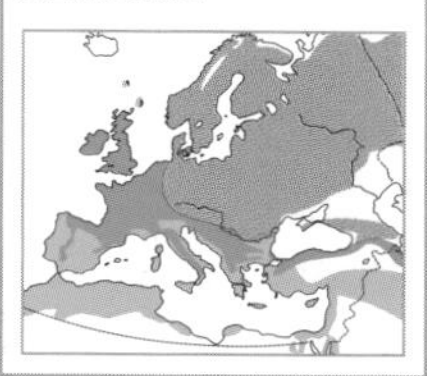

El adulto tiene un dorso marrón con puntas pardas en las coberteras alares, pecho pardo con moteado oscuro, cola marrón lisa.

Este pulcro zorzal tiene un pecho blanco cremoso salpicado con motas marrón muy oscuro, dando una vaga impresión de franjas por el cuerpo. Los zorzales comunes del continente europeo son más grises que los de las islas Británicas.

El zorzal común, un cantor muy capaz, suele repetir cada frase tres o cuatro veces. Su canto agudo se suele observar al atardecer y algunos ejemplares cantan junto a la luz de las farolas.

Fuera de la época de cría, se les puede ver alimentándose de lombrices en los campos de deporte. Estas bandadas que buscan alimento no son grandes y cada ave guarda cierta distancia en relación a las otras.

El polluelo tiene dorso marrón con motas claras.

En vuelo, las alas y dorso aparecen uniformemente marrones. El vuelo es directo con ligeras ondulaciones. El parche de la «axila» debajo de las alas es naranja claro o pardo.

Canta desde una percha alta. Con frecuencia mantiene las alas ligeramente separadas del cuerpo cuando canta.

Salta y corre por el suelo. Cuando come, corre, se detiene, mira, rebusca en el suelo y se mueve. Su postura suele ser erguida.

En verano, el zorzal común sujeta los caparazones por el reborde y los aplasta contra una superficie dura.

SIMILARES

Zorzal charlo (p. 85) Más grande. Muy moteado. Rectrices blancas. Puntas pardas en las de vuelo.

Zorzal de alas rojas (p. 86) Flancos y parte interior de las alas rojizos. Cejas claras destacadas.

Mirlo común ♀ (ps. 18-19) Grande, y más oscuro. Con motas menos visibles. Levanta la cola al aterrizar.

Zorzal real (p. 87) Más grande. Obispillo y cabeza grises. Expresión fiera.

Petirrojo

El pecho rojo, postura erguida y cuerpo rechoncho hacen que el petirrojo sea inconfundible. Su naturaleza confiada y su aparición en las tarjetas de Navidad lo han convertido en el ave de jardín más familiar. Los gusanos o escarabajos que levanta el rastrillo del jardinero le animan a acercarse más a la gente en busca de comida. Los petirrojos del continente europeo suelen ser más tímidos.

Los machos y hembras son parecidos, pero cuando establecen territorios y buscan parejas, se enzarzan en exhibiciones agresivas y enérgicas, lo que les ayuda a diferenciar a machos de hembras. Ambos sexos cantan y el sonido melodioso del petirrojo se puede escuchar durante todo el año.

Cola marrón oliva

El plumaje del juvenil es moteado. Obsérvese la típica forma rechoncha.

En el suelo los petirrojos levantan con frecuencia las alas y la cola.

DATOS

Nombre científico *Erithacus rubecula*

Familia Túrdidos

Largo 12,5-14 cm

Nido En forma de taza, de hojas secas, hierba y musgo en un tocón, o en muchos otros sitios

Huevos 4-6, blanquecino, con marcas rojas variables

Nidadas 2 por año

Alimento Invertebrados, algunas semillas y fruta. Le gusta el queso y los gusanos de harina.

Voz Canto suave y melodioso. Llamada corta repetida «tic-tic-tic».

Dónde se ve Las especies de bosque vinculadas a jardines de la península Ibérica, donde es residente, se unen en otoño con migradoras del norte y este de Europa.

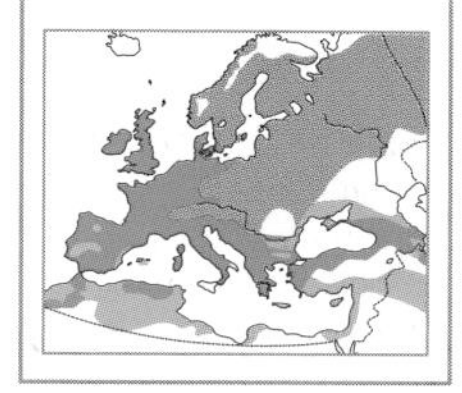

En el tiempo frío, con sus plumas ahuecadas (izquierda), el petirrojo parece rechoncho, pero es bastante fino en otras épocas del año (derecha).

Muy decidido en la defensa de su territorio, el petirrojo elige perchas prominentes, con buenas vistas de su reino, desde donde canta.

La agresión entre los ejemplares se centra en el pecho rojo, que cada ave intenta exagerar.

Visto por detrás, el petirrojo tiene un aspecto regordete.

SIMILARES

Acentor común (p. 88) Pecho y cara grises. Dorso y flancos rayados. Menos llamativo y postura menos erguida.

Chochín común (pp. 34-35) Más pequeño. Más rechoncho con cola corta.

Colirrojo real (p. 90) Pecho pardusco. Cola roja. Por lo general en bosques o zonas limítrofes.

Pinzón vulgar

El ♂ adulto tiene pecho rosa, cabeza azul grisácea y barras alares blancas, rectrices blancas y obispillo oliva en ambos sexos. El pico es azul grisáceo en el plumaje de cría.

DATOS

Nombre científico *Fringilla coelebs*
Familia Fringílidos
Largo 15 cm
Nido En forma de taza de hierbas y raíces decoradas con líquenes, en una oquedad de una rama
Huevos 4-5, azulado, con franjas marrón púrpura
Nidadas 1-2 por año
Alimento Semillas, fruta y pequeños insectos
Voz Canto sonoro y de largo alcance con florituras en «dialecto» local regularmente repetidas. La llamada desde una percha es un «pink» agudo, y un «yup» bastante discreto en vuelo.
Dónde se ve Una de las más abundantes y extendidas de Europa. Se encuentra en bosques, áreas de cultivo, campo abierto con arbustos y jardines. Los pinzones de Escandinavia y de Europa oriental se desplazan al suroeste en otoño, con frecuencia en bandadas en donde todas las aves son del mismo sexo.

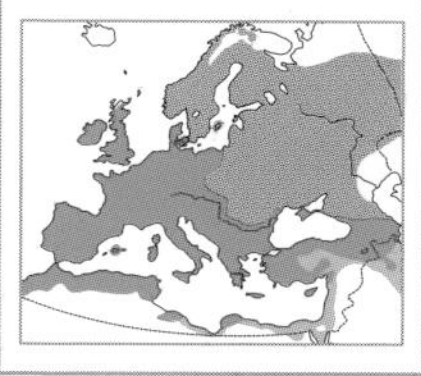

La ♀ adulta tiene pecho claro y un obispillo oliva.

En el plumaje de cría, el macho es muy llamativo. La hembra tiene un plumaje más sutil de tonos verdosos y marrones, pero también tiene dobles barras alares con plumas exteriores de la cola (rectrices) blancas. Los pinzones suelen ser confiados y acostumbran a aprovecharse de restos en los parques, zonas de pícnic y aparcamientos.

En otoño, los machos parecen más desvaídos, pero en invierno el tono es más vivo y las plumas suelen caerse, dando paso a colores más brillantes. En invierno se suelen ver en bandadas.

Barras alares y rectrices blancas más evidentes en ambos sexos en vuelo (derecha).

Los pinzones tienen un vuelo muy característico, con las alas cerradas entre aleteos.

El canto se escucha en toda la época de cría.

Los pinzones se alimentan en bandadas con otros de su especie fuera de la época de cría, en granjas o en los límites de los bosques.

Postura bastante encorvada al alimentarse en el suelo, moviéndose en saltos entrecortados.

SIMILARES

Camachuelo ♂ (p. 94)
Pecho rosa vivo. Píleo negro. Obispillo blanco. Rechoncho.

Camachuelo ♀ (p. 94)
Pecho marrón. Píleo negro. Obispillo blanco. Rechoncho.

Pardillo común (p. 95)
Pecho rojo. Frente roja. Cuello marrón.

Verderón común juvenil **(pp. 28-29)**
Pecho con franjas. Pico grueso. Mancha alar amarilla.

Papamoscas ♀ (p. 91)
Ojos grandes. Pico negro. Forma compacta. Pico más fino.

Verderón común

La ♀ adulta tiene un pico grueso, tenues franjas en el pecho y obispillo verde.

El ♂ adulto (izquierda) tiene el pico grueso, cabeza y dorso verde y pecho verde amarillento.

DATOS

Nombre científico *Carduelis chloris*

Familia Fringílidos

Largo 14-16 cm

Nido Taza de ramas y musgo en arbustos y setos

Huevos 4-6, azul verdoso, poco moteado

Nidadas 2 por año

Alimento Semillas, bayas y a veces insectos

Voz Llamada compuesta de chirridos agudos emitidos desde una percha alta. El canto puede ser melodioso y similar al del canario, pero por lo general está mezclado con silbidos y gorjeos.

Dónde se ve Los verderones, que son aves de campo abierto con árboles y arbustos, se encuentran en áreas de cultivo y jardines de toda Europa, llegando por el este a Irak y zonas de Rusia. Los migradores de Europa continental se unen a los residentes británicos en invierno.

Su pico potente, apto para partir frutos secos y su cuello fornido le dan un aspecto casi rechoncho. Las patas y la cola son relativamente cortas, y aunque puede parecer un ave casi torpe en el suelo, puede convertirse en un acróbata en los comederos para aves.

El plumaje de cría de los machos es verde brillante con manchas amarillas en las alas. Las hembras están coloreadas con menos brillo, mientras que el juvenil con franjas puede ser marrón grisáceo y recordar bastante a un gorrión. En invierno, se ven en bandadas.

El juvenil tiene el pecho con franjas.

El ♂ se exhibe sobre las copas de los árboles con aleteos lentos.

En vuelo, que es a brincos, parece rechoncho y las marcas amarillas en las alas y cola se ven bien.

Suele visitar las mesas para aves, donde disfruta sobre todo de semillas de girasol y cacahuetes.

SIMILARES

Pinzón vulgar ♀ (pp. 26-27) Sin franjas visibles. Manchas alares blancas.

Gorrión (pp. 30-31) Más ligero. Sin amarillo.

Lúgano (p. 98) Más pequeño. Barras alares amarillas. Píleo negro.

Jilguero (p. 97) Barras alares amarillas y negro en las alas. Cara carmesí.

Gorrión común

La ♀ tiene cejas claras y sin negro.

El ♂ en verano muestra una gran pechera negra, píleo gris y obispillo gris (los gorriones de campo suelen ser de color más vivo que los de las ciudades).

DATOS

Nombre científico *Passer domesticus*

Familia Paséridos

Largo 14-16 cm

Nido Nido desordenado en forma de cúpula en edificios y arbustos

Huevos 3-5, agrisado, con marcas uniformes

Nidadas 3 por año

Alimento Semillas, brotes, fruta e insectos

Voz Píos simples y notas cotorreantes

Dónde se ve Están allá donde viva el ser humano en Europa. Es residente en todo el continente, pero fuera de la época de cría forma bandadas y se alimenta en terrenos cultivados.

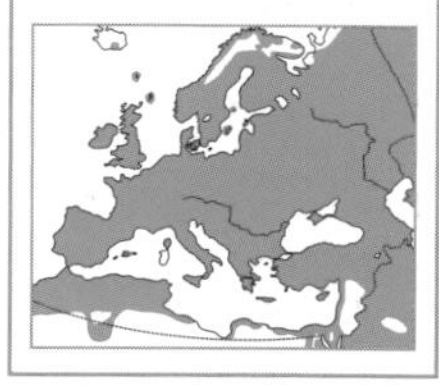

Los gorriones comunes son aves euroasiáticas y ahora se encuentran en todos los continentes. Parece que pasan tiempo pensando en formas de obtener nuevas fuentes de alimento, como insectos voladores o frutos secos en los comederos colgantes, de los que suelen apoderarse otras especies más ágiles. Esta ave es originaria de Europa, pero se introdujo en América en el siglo XIX y después en Australia y Asia.

El ♂ en invierno tiene una pechera menos amplia.

En vuelo se observan finas barras alares blancas.

Los machos toman parte en un ruidoso cortejo de las hembras.

SIMILARES

Escribano palustre ♂ (p. 100) Píleo negro. Garganta con mostacho blanco. Parece más esbelto.

Escribano palustre ♀ (p. 100) Mostacho pardo. Cola más larga. Cuerpo más esbelto.

Pinzón vulgar ♀ (pp. 26-27) Más ligero. Más oliva. Pico fino.

Verderón común juvenil **(pp. 28-29)** Matiz verdoso. Manchas alares amarillas.

Acentor común (p. 88) Cuerpo redondeado. Pecho gris. Pico fino.

Herrerillo común

El adulto tiene alas azules, píleo azul y pecho amarillo con una banda negra poco definida.

DATOS

Nombre científico *Parus caeruleus*

Familia Páridos

Largo 14 cm

Nido Taza de musgo y plumas en oquedades en árboles o cajas nido

Huevos 6–12, blanco y ligeramente moteado.

Nidadas 1 por año

Alimento Insectos, arañas, semillas

Voz Aguda llamada «tsi-tsi-tsi» que se puede oír cuando se desplazan por las copas de los árboles. Cuando se siente alarmado por un águila, emite una aguda llamada «siiii» más larga. El canto consiste en dos notas agudas alargadas seguidas de un trino.

Dónde se ve Es un ave de bosques abiertos, que cría en jardines, parques y áreas de cultivo, donde hay árboles y lugares para anidar. Fuera de la época de cría las bandadas se alimentan en una variedad de hábitats por toda Europa.

El más común de los herrerillos residentes en la península Ibérica, el herrerillo común es un visitante muy habitual de las mesas para aves. En invierno, los herrerillos que se han criado en los bosques se desplazan a los jardines para aprovecharse del alimento ofrecido por la gente. Por un jardín pasan muchos más ejemplares de los que podemos darnos cuenta: un estudio demuestra que por un jardín concreto pasaron más de 1.000 aves en un año, pero por lo general no se ven más de seis al mismo tiempo.

El juvenil tiene una cara amarilla y píleo azul verdoso.

En vuelo muestra una ligera barra alar blanca, ala azul translúcida y dorso verde.

Un padre alimenta con una larva a un juvenil que acaba de abandonar el nido y que está pidiendo comida piando y agitando las alas.

SIMILARES

Carbonero común (p. 104) Más grande. Colorido. Cabeza negra. Banda visible en pecho.

Carbonero garrapinos (p. 105) Cabeza grande. Píleo negro. Sin azul.

Reyezuelo sencillo (p. 107) Más pequeño. Verde oliva. Pico fino.

Los herrerillos comunes son ágiles para alimentarse, capaces de colgarse boca abajo para alimentarse de insectos en las puntas de las ramas.

Chochín común

El adulto tiene una franja clara sobre el ojo, dorso barrado, cola elevada y pico ligeramente curvado hacia abajo. Sexos similares.

DATOS

Nombre científico *Troglodytes troglodytes*

Familia Troglodítidos

Largo 9-10 cm

Nido Cúpula de hojas, hierbas y musgo en una oquedad o grieta

Huevos 5-8, blanco, moteado

Nidadas 2 por año

Alimento Insectos, arañas

Voz La llamada es un enérgico «tic» o «clink» repetido. El canto es una serie rápida y sorprendentemente aguda de gorjeos metálicos

Donde se ve
Se encuentran en casi toda Europa siempre que haya una cobertura adecuada. Prefieren los bosques húmedos de caducifolias y mixtos, con denso sotobosque. Algunas poblaciones son residentes, otras se desplazar al sur en invierno.

El chochín común es muy pequeño y se alimenta en la vegetación, con frecuencia cerca del suelo. En sus cortos vuelos entre las zonas de alimentación, sus rápidos aleteos dan la impresión de ser un abejorro muy grande. Es poco probable que se confunda con otras especies gracias a su cola levantada y su pequeño tamaño.

Los chochines macho son más visibles cuando cantan. El canto es una sucesión aguda y prolongada de notas altas emitidas desde arbustos, setos y vallas.

En su busca de insectos sobre el suelo, a primera vista el rápido movimiento del chochín hace que a veces parezca un ratón.

El aleteo en vuelo da al chochín el aspecto de una gran abeja.

El ♂ canta desde un arbusto y emite un canto ruidoso y vivaz.

SIMILARES

Reyezuelo sencillo (p. 107) Verdoso. Cresta dorada. Más esbelto. Cola horizontal.

Acentor común (p. 88) Sin franja ocular. Más grande. Dorso con franjas.

Petirrojo juvenil **(pp. 24-25)** Color similar. Más grande. Cola más larga.

Nido en forma de cúpula.

Alondra común

DATOS

Nombre científico
Alauda arvensis

Familia Aláudidos

Largo 18-19 cm

Nido Taza poco profunda en el suelo revestida con hierba

Huevos 3-5, blanco y muy moteado en verde

Nidadas 2-4 por año

Alimento Semillas, insectos

Voz Llamada gorjeante. Emite su trino en vuelo desde el amanecer al anochecer, desde mediados del invierno a mediados del verano en julio.

Dónde se ve Se alimentan en tierras cultivables, pastos, aeródromos, campos de golf y praderas. En otoño se forman las bandadas y las alondras se alimentan en campos arados y rastrojos. Las aves que se alimentan en Europa oriental se desplazan hacia el sur en invierno. Las cosechas tempranas de cereales han privado a las alondras de áreas de cría.

El canto de la alondra en campo abierto es un sonido típico de primavera y otoño. Si se tienen ojos de lince, se puede ver al ave cuando asciende, que puede elevarse lo suficientemente alto como para dejar de verse. En el suelo, el plumaje rayado hace que sea difícil de avistar; con frecuencia los mejores avistamientos se obtienen cuando está alimentándose en las cunetas.

Cuando nieva mucho, la alondra, que se alimenta en el suelo, se desplaza al sur a zonas sin nieve. En los inviernos muy duros puede desplazarse al sur de Europa, norte de África y sur de Asia. Es un ave residente en la península Ibérica.

El canto agudo, que se oye desde lejos, se emite cuando la alondra está en el aire, con frecuencia lo suficientemente alta como para ser invisible al ojo humano. Las alas son apuntadas. También canta desde los postes.

En vuelo se pueden ver desde atrás las rectrices blancas y el borde blanco de las alas.

Las alondras caminan con un paso resuelto, pero se agachan como un ratón y se arrastran al alimentarse en lugares expuestos.

SIMILARES

Escribano triguero (p. 101) Mucho más rechoncho. Las patas cuelgan en vuelo.

Bisbita pratense (p. 113) Más pequeño. Sin borde blanco en las alas.

Gorrión ♀ (pp. 30-31) Postura más agachada. Pico grueso.

Lavandera blanca

El ♂ en verano tiene barbilla y garganta negra y cola negra rectrices blancas.

DATOS

Nombre científico *Motacilla alba*
Familia Motacílidos
Largo 18 cm
Nido Taza de hojas, hierbas y hojas en oquedad o grieta
Huevos 5-6
Nidadas 2 por año
Alimento Insectos y otros invertebrados
Voz La llamada es una nota doble «chisick» o una nota triple «chi-chi-sick». El canto es una frase gorgeante seguida de una pausa y luego más gorgeos.
Dónde se ve Cría desde las costas a las vías de agua de tierras altas, incluidos centros de ciudades y jardines. Con frecuencia se ven cerca del agua. Fuera de la época de cría, pasan el día buscando alimento individualmente o en parejas, pero anidan en bandadas en árboles, invernaderos y leñeras.

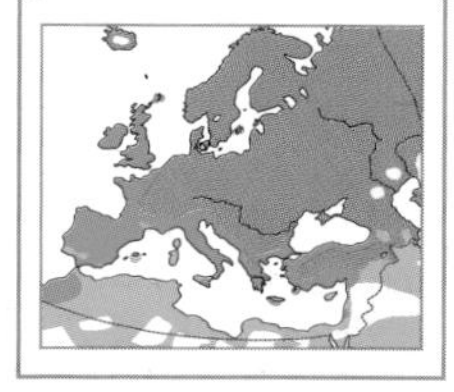

Una de las aves más elegantes que se pueden ver en parques y jardines, la lavandera blanca macho en plumaje de cría es difícil de confundir con otras especies. Las hembras, en especial en invierno, y los jóvenes se pueden confundir con otras lavanderas. La llamada chillona «chisick» es muy distintiva. En Europa continental, el macho tiene dorso gris pizarra.

La elección del lugar de anidación es amplia: desde oquedades y grietas en lugares naturales a sitios artificiales como cornisas de los edificios y detrás de maceteros en los invernaderos. La lavandera blanca captura insectos corriendo detrás de ellos y atrapándolos, así como desde las plantas que crecen cerca del suelo.

La ♀ en verano tiene el dorso gris oscuro.

En invierno, las lavanderas blancas pasan el día alimentándose en pequeños grupos, volviendo por la noche a las grandes perchas comunales en lugares cálidos y bien iluminados.

A comienzos del invierno la lavandera blanca tiene una rudimenaria mancha oscura en la garganta.

Paso distintivo en el cual mueve la cola y sacude la cabeza mecánicamente hacia atrás y hacia adelante.

El juvenil tiene plumaje gris y cejas blancas.

SIMILARES

Lavandera cascadeña ♂ **(p. 114)** Obispillo amarillo. Barra alar. Cuerpo más fino. Pecho amarillo.

Lavandera boyera ♂ **(p. 115)** Cejas. Pecho amarillo claro.

Urraca

El adulto tiene un plumaje brillante, negro azulado y verdoso, vientre blanco y manchas blancas en las alas.

DATOS

Nombre científico *Pica pica*
Familia Córvidos
Largo 40-50 cm (incl. 20-30 cm cola)
Nido Gran cúpula de ramas revestida de barro, hierbas y plantas, en arbustos y árboles.
Huevos 5-7, azul claro manchado con oliva
Nidadas 1 por año
Alimento Semillas, fruta, insectos, carroña, huevos, polluelos
Voz La llamada es una serie rápida entrecortada de notas muy roncas.
Dónde se ve La urraca está muy extendida por Europa en áreas donde hay árboles y arbustos. Es un ave común en Eurasia templada y en Norteamérica.

Esta atractiva ave, ruidosa y blanca y negra, es difícil que pase desapercibida, aunque a la gente le cuesta quererla debido a su hábito de alimentarse de las crías de las aves canoras. Siempre es precavida, pero no es tímida y con frecuencia se aventura en las casas próximas. El mito de que las urracas roban plata y joyas no se ha comprobado, pero sin embargo sí se ha demostrado que tienen una habilidad muy desarrollada para aprender.

El juvenil tiene la cola más corta que los adultos.

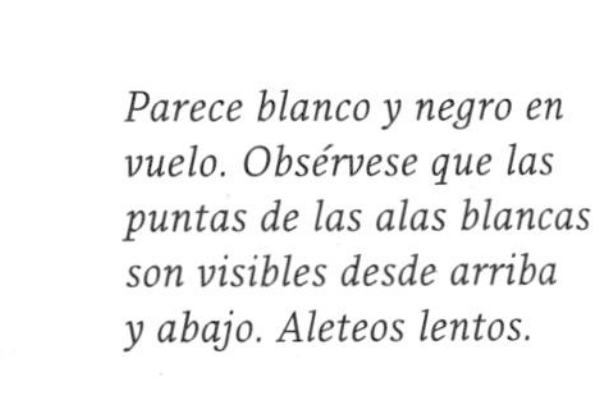

Parece blanco y negro en vuelo. Obsérvese que las puntas de las alas blancas son visibles desde arriba y abajo. Aleteos lentos.

Camina en el suelo en busca de comida.

SIMILARES

Arrendajo en vuelo **(p. 84)** Cola más corta. Azul en alas. Cuerpo y cabeza marrón rosácea.

Avefría (pp. 60-61) Sin blanco en la parte superior de las alas. Cola corta.

Pico picapinos (pp. 42-43) Más pequeño. Vuelo ondulado. Forma diferente.

Se posa en árboles. Obsérvese las plumas de la cola graduadas, que le dan una forma larga triangular.

Pico picapinos

DATOS

Nombre científico *Dendrocopos major*

Familia Pícidos

Largo 23-26 cm

Envergadura 38-44 cm

Nido En una oquedad excavada en el tronco de un árbol.

Huevos 4-7, blanco

Nidadas 1 por año

Alimento Insectos, piñones, polluelos, semillas y grasa en los comederos

Voz La llamada es un agudo y único «chik». Para reclamar su territorio y atraer a una pareja, utiliza el pico para golpetear un tronco hueco a ráfagas cortas de 0,4 a 0,8 segundos.

Dónde se ve Es muy abundante en Europa, y también se encuentra en gran parte de Asia y noroeste de África en todos los tipos de bosques. Es residente y visita los comederos de los jardines en invierno.

El ♂ adulto tiene una mancha roja en la nuca.

La ♀ adulta no muestra la mancha roja en la nuca.

Es una de las aves con un patrón más espectacular (e inconfundible) que se puede ver en los jardines. Su hábitat natural son los bosques de todo tipo. Los pies tienen dos dedos hacia adelante y dos dedos hacia atras; junto a las rígidas plumas de la cola, esto le permite agarrarse a los troncos de los árboles y moverse en vertical hacia arriba. El pico es lo suficientemente fuerte como para agujerear la madera podrida y atrapar larvas de insectos.

El juvenil tiene píleo rojo y patrones del plumaje menos definidos.

El vuelo del pico picapinos es ondulante. Se observa particularmente cuando vuela en áreas más abiertas.

El pico picapinos es ágil, se alimenta con frecuencia en el interior de las ramas y en comederos para aves colgantes.

Las manchas blancas se ven claramente en el dorso del pico picapinos cuando trepa por el tronco de un árbol. Obsérvese la cola rígida que se usa como puntal y los pies adaptados para trepar por los troncos del árbol.

SIMILARES

Arrendajo (p. 84) Más grande. Azul en alas. Marrón rojizo.

Pico menor (p. 120) Más pequeño (del tamaño del gorrión). Alas barradas.

Trepador azul (p. 122) Gris azulado. Naranja. Más pequeño.

Pito real (p. 121) Más grande. Verde. Cuello más largo.

Golondrina común

El adulto tiene dorso y alas muy oscuros, cara rojo oscuro con collar azul oscuro y cola larga y finamente ahorquillada, más larga en el ♂ que en la ♀ (arriba a la izquierda).

DATOS

Nombre científico *Hirundo rustica*

Familia Hirundínidos

Largo 17-21 cm (incl. 3-6 cm cola)

Nido Taza de diminutas bolitas de barro revestida de plumas en las vigas exteriores de los edificios.

Huevos 4-5, con motas rojizas

Nidadas 2-3 por año

Alimento Insectos

Voz Canto agudo gorjeante y llamadas de una nota

Dónde se ve Se encuentran en áreas agrícolas llenas de insectos y en edificios en donde anidan. Es un ave migratoria que se reproduce en el hemisferio norte e inverna en el hemisferio sur. Se avista en la península Ibérica durante el verano.

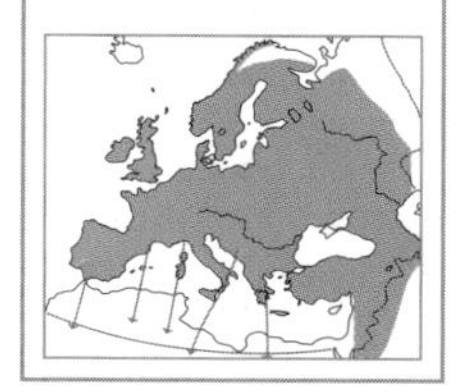

Las golondrinas son visitantes estivales procedentes el sur de África: un extraordinario viaje de miles de kilómetros que emprende dos veces al año. Son aves aerodinámicas, rápidas, hermosas que suelen volar cerca del suelo o sobre el agua en busca de insectos voladores que atrapan con su amplia área gular. Las largas rectrices de la cola no se parecen a ninguna de las especies emparentadas.

Los jóvenes tienen cara parda rojiza y cola más corta.

Los nidos de la golondrina están hechos de bolitas de barro y tienen una parte superior abierta (a diferencia del nido del avión común, ver p. 118).

En vuelo, las alas están apuntadas y las rectrices son largas.

En otoño, las golondrinas y los aviones se reúnen en los cables eléctricos antes de migrar. Las golondrinas tienen la cola más larga que los aviones comunes.

SIMILARES

Avión común (p. 118) Obispillo blanco. Cola corta ahorquillada. Más rechoncho.

Avión zapador (p. 119) Marrón. Cola corta, poco ahorquillada. Pequeño.

Vencejo común (p. 117) Más grande. Cola más corta. Alas crecientes en lugar de hacia atrás.

Martín pescador común (p. 116) Dorso azul brillante. Vuela recto y bajo sobre el agua.

Paloma torcaz

El adulto tiene el pecho plomizo, marcas blancas en cada lado del cuello con una nuca verde metálica poco definida. Sexos parecidos.

DATOS

Nombre científico
Columba palumbus
Familia Colúmbidos
Largo 38-43 cm
Envergadura
68-77 cm
Nido Plataforma de aspecto endeble de ramas en un árbol
Huevos 2, blanco
Nidadas 3 por año
Alimento Semillas, granos, materia vegetal
Voz El canto es un zureo de cinco sílabas («cu-cu, cu-cu... cuu») repetido entre 3 y 5 veces. La llamada de alarma es un sonido mecánico hecho por un repiqueteo fuerte de las alas.
Dónde se ve
Se encuentra en toda Europa excepto el extremo norte, como residente en el oeste y el Mediterráneo, y como visitante de verano en Europa oriental y Escandinavia. Cría en áreas con árboles, incluidas áreas de cultivo, bosques, parques y jardines.

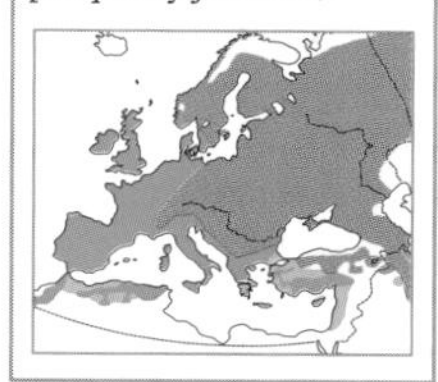

Más grande que la paloma doméstica, la paloma torcaz es una paloma robusta y espléndida con un gran cuerpo que hace que la cabeza parezca pequeña. Se encuentra tanto en la ciudad como en el campo. En vuelo se puede confundir con otras especies, incluidas aves de presa. Cría durante todo el año si las condiciones son las adecuadas, y grandes bandadas de aves europeas se desplazan al suroeste en invierno para alimentarse en áreas de cultivo. El nido de la paloma torcaz es una plataforma de ramas con aspecto bastante endeble.

El juvenil no tiene marcas blancas en el cuello.

Bandadas voladoras de palomas torcaces son una vista común en las áreas de cultivo en el invierno.

En vuelo, se ven barras blancas por las alas, con puntas negras. Obsérvese la amplia blanda negra en la cola.

En la exhibición, la paloma torcaz se eleva abruptamente, bate las alas y se desliza hacia abajo.

SIMILARES

Paloma bravía (p. 126) Dobles barras en las alas. Muchas variaciones del plumaje.

Paloma zurita (p. 127) Más pequeña. Sin marca blanca en el cuello.

Paloma zurita en vuelo **(p. 127)** Sin barra blanca en alas. Borde oscuro en la cola y punta de alas.

Tórtola turca (p. 124) Más pequeña. Gris pardusco. Collar negro estrecho.

Tórtola común (p. 125) Más pequeña. Más esbelta. Collar blanco y negro Dorso moteado.

Cernícalo vulgar

El ♂ adulto tiene la cabeza gris con un pequeño mostacho negro, obispillo y cola grises, y banda negra al final de la cola, motas negras en un dorso castaño y pies amarillos con garras negras.

Probablemente el ave de presa más común en Europa, este pequeño halcón es un ave de campo abierto, donde caza sus presas planeando contra el viento y cayendo en picado al suelo cuando observa movimiento entre la hierba. Con frecuencia anida en edificios y varias catedrales pueden presumir de cobijar cernícalos. Las diferencias de plumaje permiten diferenciar con bastante facilidad los sexos en su hábitat.

La ♀ adulta tiene cabeza marrón con una pequeña bigotera negra, cola marrón barrada, dorso marrón con motas oscuras en el dorso y pies amarillos con garras negras.

DATOS

Nombre científico *Falco tinnunculus*

Familia Falcónidos

Largo 31-37 cm

Envergadura 68-78 cm

Nido Cornisas desnudas, oquedad en árbol, antiguos nidos de cuervos, sobre todo cajas de anidación

Huevos 4-5, blanco, muy moteado con marrón

Nidadas 1 por año

Alimento Pequeños mamíferos, reptiles, aves y grandes insectos

Voz Agudo «ki-ki-ki-ki» repetido

Dónde se ve Muy extendido por Europa (excepto en el extremo norte de Escandinavia e Islandia) en campo abierto. Gran parte de la población es residente, pero los del norte y este se desplazan al sur en invierno.

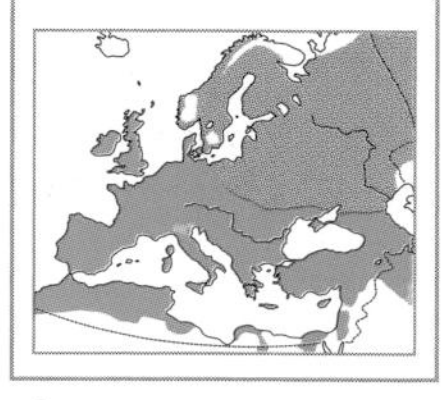

Al planear, las alas tienen bordes redondeados que pueden confundirlo con un gavilán.

Planea con alas apuntadas cuando caza, cara al viento, antes de caer sobre su presa.

También caza desde una percha cayendo sobre su presa.

SIMILARES

Gavilán en vuelo **(p. 131)** Alas redondeadas.

Alcotán europeo en vuelo **(p. 129)** Alas más anchas en punta cerca del cuerpo. Tamaño medio. Cola más cuadrada.

Cuco en vuelo **(p. 128)** Cola más ancha. Alas con forma de luna creciente.

Ratonero común (pp. 50–51) Más grande y macizo. Sin contraste entre el pecho y zonas superiores.

Ratonero común

Pecho finamente barrado, pico con punta amarilla con negro y pies amarillos con garras negras.

DATOS
Nombre científico *Buteo buteo*
Familia Accipítridos
Largo 46-58 cm
Envergadura 110-132 cm
Nido Voluminosa taza de ramas y palos, en un árbol o en rocas
Huevos 3-4, blanco, moteado de rojo
Nidadas 1 al año
Alimento Pequeños mamíferos
Voz Aguda llamada como maullido que cae en tono, sobre todo en primavera.
Dónde se ve Distribuido por Europa, excepto Islandia, gran parte de Irlanda y zonas montañosas de Escandinavia. Residente en el oeste. Visitante veraniego en gran parte de Escandinavia y este de Europa.

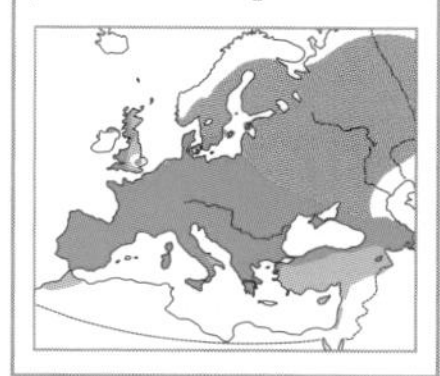

Esta gran ave de presa compacta y de alas redondeadas está ampliamente distribuida por Europa y ahora se está extendiendo hacia el este desde las tierras altas de Inglaterra. En el continente, el plumaje muestra una gran variación y los ratoneros comunes pueden variar del marrón oscuro al crema, con una variedad de combinaciones.

Los ratoneros muestran gran variación de coloración entre el claro y el oscuro.

En vuelo, los adultos muestran una banda estrecha en la cola, manchas oscuras bajo las alas y alas «con dedos».

Las alas se mantienen como una V abierta al planear.

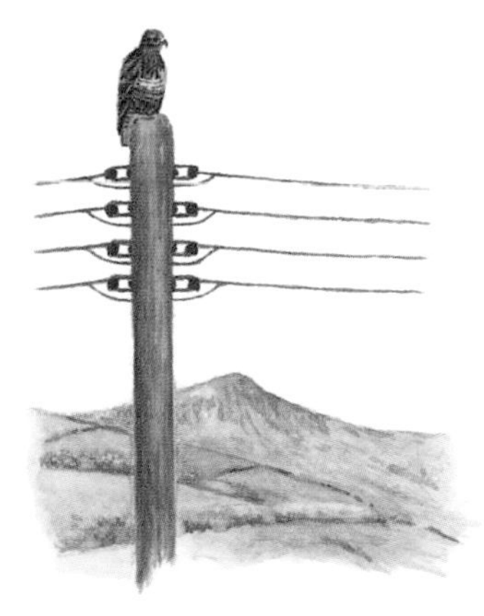

Con frecuencia se ven en perchas sobre postes.

SIMILARES

Gavilán (p. 131) Más pequeño. Alas redondeadas.

Milano real (p. 130) Más grande. Alas curvadas ligeramente. Cola ahorquillada.

Corneja negra (pp. 20-21) Aleteos poco profundos. Pico apuntado.

Cárabo común (p. 133) Alas rendondeadas. Cabeza grande.

Mochuelo europeo

El adulto tiene destacadas cejas claras, manchas en las alas y pequeñas motas blancas en la cabeza.

Se ve en dos posturas diferentes, una erguida y otra agachada.

DATOS

Nombre científico *Athene noctua*
Familia Estrígidos
Largo 23-27,5 cm
Envergadura 54-58 cm
Nido Oquedad en un árbol o edificio
Huevos 3-5, blanco
Nidadas 1 al año
Alimento Insectos, aves, roedores, pequeños anfibios y reptiles
Voz «Ki-u», de nota alta, que baja en tono y se repite. Su llamada de alarma es un breve «chi, chi, chi-chi», muy estridente. El canto es un ulular bajo dulce que acaba con una inflexión ascendente.
Dónde se ve Una especie sedentaria que cría en campo abierto, donde hay árboles y setos. Se encuentra por Europa continental, de Dinamarca al sur.

El mochuelo europeo se encuentra en África, Asia y Europa, y es una de las aves nocturnas más difundidas por toda la mitad sur de Europa y el norte de África. En la antigua Grecia era el animal sagrado de la diosa Atenea, de donde toma el nombre científico. Se encuentra en las zonas de cultivo y en áreas de bosques densos y campos abiertos. Es parcialmente diurno y su hábito de posarse en una percha elevada, como un poste, significa que es el búho más visto en algunas partes. La dieta del mochuelo europeo es muy variada e incluye gusanos, insectos más grandes, pequeños roedores, ranas y pequeñas aves.

En vuelo se observa un collar estrecho claro en torno a la nuca, y barras estrechas claras entre el cuerpo y las alas.

El vuelo es a saltos. Obsérvense las amplias alas.

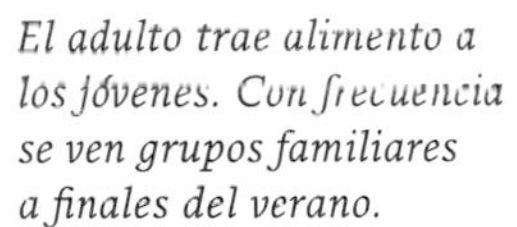

El adulto trae alimento a los jóvenes. Con frecuencia se ven grupos familiares a finales del verano.

SIMILARES

Cárabo común (p. 133) Más grande. Cabeza mayor.

Lechuza común (p. 132) Más grande. Cara como corazón. Muy claro.

Cernícalo vulgar ♀ (pp. 48-49) Cabeza pequeña. Plumaje barrado.

Zorzal común (pp. 22-23) Pecho moteado. Cara con forma muy diferente.

Faisán vulgar

El faisán común ♂ tiene un visible collar blanco, cabeza verde y carúnculas rojas alrededor de los ojos. Obsérvese que la cola es comparativamente más larga que en las hembras.

La ♀ está moteada en marrón con cola más corta.

El faisán es originario de Asia, pero se introdujo en Europa en el siglo VI. La raza original carecía del anillo que rodea el cuello. En Europa y Norteamérica se crían faisanes comunes en gran número en especial con fines cinegéticos. Las hembras son más pequeñas, muy bien camufladas gracias al marrón. Los jóvenes pueden volar antes de alcanzar el tamaño adulto. El plumaje de los machos varía de manera considerable porque hay variedades de faisanes domesticados.

Los polluelos de faisanes tienen un plumaje moteado similar a la ♀, pero sin cola.

DATOS

Nombre científico *Phasianus colchicus*

Familia Fasiánidos

Largo ♂ 66-90 cm (incl. cola de 35-45 cm), ♀ 55-70 cm (incl. cola de 20-25 cm)

Envergadura 70-90 cm

Nido Hueco en el suelo

Huevos 7-15, oliva claros, sin marcas

Nidadas 1 al año

Alimento Semillas, brotes, bayas

Voz Grito ronco de dos sílabas con énfasis en la última sílaba.

Dónde se ve Los faisanes se encuentran en toda Europa occidental, desde Francia a Eurasia, con poblaciones aisladas en España.

Los faisanes se elevan abrupta y ruidosamente desde el suelo cuando se asustan. Obsérvese cómo las colas del ♂ y de la ♀ se extienden en el vuelo.

Se han soltado distintas variedades de faisanes en zonas de caza, algunas de las cuales carecen del anillo en el cuello.

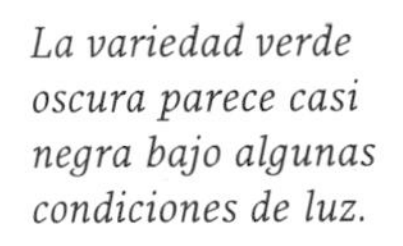

La variedad verde oscura parece casi negra bajo algunas condiciones de luz.

SIMILARES

Perdiz pardilla en vuelo **(p. 134)** Cola corta. Más pequeña.

Perdiz común en vuelo **(p. 135)** Cola corta. Más pequeña. Marcas naranjas en la cola.

Perdiz pardilla (p. 134) Sin cola. Más pequeña. Cabeza en comparación más pequeña con cara naranja.

Perdiz común (p. 135) Sin cola. Más pequeña. Marcas naranjas en la cola. Cabeza más pequeña con cara blanca.

Zarapito real

El adulto tiene un característico pico curvado hacia abajo (más largo en el ♂ que en la ♀), patas largas y marcas bastante claras en la cara.

El pico curvado hacia abajo del zarapito real es muy característico. El de la hembra es más largo que el del macho. El zarapito real utiliza su pico para rebuscar en el barro en busca de gusanos y otros invertebrados. La diferencia en el largo del pico entre los sexos permite a los zarapitos buscar alimento en distintas profundidades. Es una especie que inverna en la península Ibérica. Está considerada una especie en extinción.

Cuando se alimenta, se flexiona hacia adelante y el pico desaparece en el barro.

DATOS

Nombre científico *Numenius arquata*

Familia Escolopácidos

Largo 48-57 cm (incl. pico de 9-15 cm)

Envergadura 89-106 cm

Nido Poco profundo en el suelo, revestido con hierba

Huevos 4, oliva, con manchas marrones

Nidadas 1 al año

Alimento Gusanos, moluscos, cangrejos

Voz La llamada es «cur-liii» aflautado, de gran alcance.

Dónde se ve Cría en llanuras fangosas, pantanos, ríos, humedales, costas y estuarios. Cuando se desplaza al sur en otoño y al norte de nuevo en primavera, los zarapitos reales se ven en las costas. Algunos incluso permanecen en las costas durante los meses invernales.

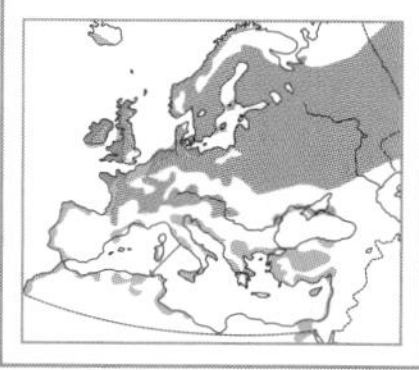

La llamada del zarapito es característica.

En vuelo muestra un amplio obispillo blanco y los pies sobresalen por el extremo de la cola. Con frecuencia vuela en bandadas en invierno.

Los zarapitos se alimentan de gusanos y moluscos en los bajíos mareales en invierno.

Cuando la marea cubre sus áreas de alimentación, no tienen nada con lo que alimentarse y pernoctan en bandadas en el suelo seco.

SIMILARES

Aguja colipinta en vuelo **(p. 141)** Pico algo curvado hacia arriba. Patas en comparación más cortas.

Aguja colipinta (p. 141) Pico algo curvado hacia arriba. Mayor contraste entre las puntas de las alas oscuras y el resto de las alas.

Agachadiza común (p. 138) Pico largo recto. Más pequeña. A veces vuela en zigzag.

Archibebe común (p. 140) Más corto. Pico recto. Patas rojas. Manchas blancas en alas.

Correlimos común

El adulto en verano tiene el pecho negro, dorso castaño rojizo salpicado de negro y un pico negro ligeramente curvado hacia abajo.

El adulto en invierno es apagado, con dorso gris y zona ventral pálida.

DATOS

Nombre científico *Calidris alpina*
Familia Escolopácidos
Largo 17-21 cm
Envergadura 32-36 cm
Nido Hueco en el suelo
Huevos 4, verdoso con manchas marrones
Nidadas 1 al año
Alimento Moluscos, crustáceos
Voz «Chriitr» áspero
Dónde se ve Cría en páramos y tundra y se desplaza al sur en otoño. Los adultos migran en julio y agosto y los jóvenes migran de finales de agosto a octubre. Fuera de la época de cría se encuentra en una variedad de hábitats costeros y pantanosos.

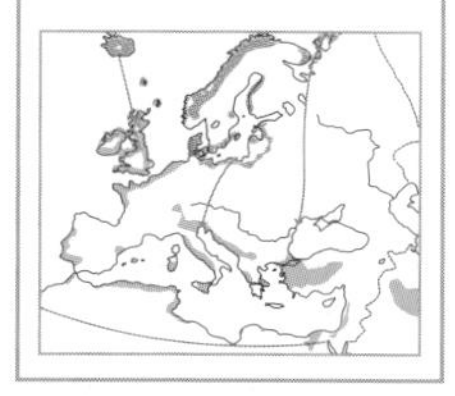

Esta pequeña zancuda es común en las zonas húmedas de Europa e inverna en la península Ibérica. Su distribución es muy amplia. En verano, desde humedales e islas del norte de Europa y la tundra, hasta el sur europeo, en zonas de marismas, playas y desembocaduras. En el plumaje de cría resulta llamativa con pecho oscuro y dorso castaño, pero es más apagada durante el resto del año.

Los jóvenes tienen manchas negras en el pecho. La intensidad de las manchas varía entre las aves.

En vuelo se observan estrechas barras blancas en cada ala y una marca negra junto al obispillo y cola.

En vuelo los adultos estivales muestran el vientre negro.

Las aves que mudan del plumaje de verano e invierno tienen un aspecto moteado.

SIMILARES

Correlimos gordo **(p. 142)** Cuerpo regordete. Pico corto. De un gris más uniforme en invierno.

Correlimos tridáctilo **(p. 143)** Gris y blanco claro. Pico y patas negro.

Andarríos chico **(p. 145)** Cuerpo largo. Patas cortas. Cola más larga que mueve arriba y abajo.

Archibebe común **(p. 140)** Más largo. Patas naranjas. Pecho moteado.

Avefría

La ♀ en verano tiene una cresta ligeramente más corta y marcas en la garganta menos definidas.

El ♂ adulto luce en verano una larga cresta, partes superiores verde metálico y garganta y pechera negra.

DATOS

Nombre científico *Vanellus vanellus*
Familia Carádridos
Largo 28-31 cm
Envergadura 67-72 cm
Nido Depresión en el suelo
Huevos 4, pardo con manchas oscuras
Nidadas 1 al año
Alimento Gusanos, insectos y otros invertebrados
Voz La llamada es una aguda «pi-wit» y el canto es una variante de la llamada.
Dónde se ve Cría en zonas cultivadas, pastos, pantanos y marismas costeras en el norte de Europa. Forma grandes bandadas en invierno para alimentarse en marismas y granjas.

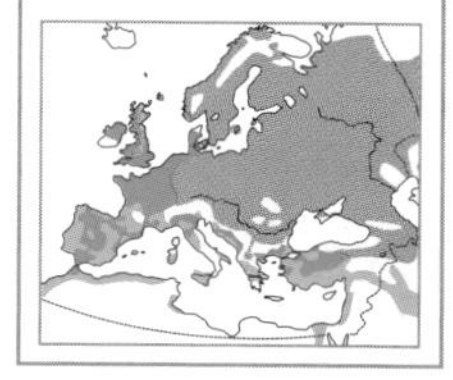

La llamada «pi-wit» del avefría es un sonido muy habitual a comienzos de la primavera en los pastos donde anida. En la península Ibérica es habitual durante todo el año, aunque mucho más abundante en invierno, cuando bandadas de avefrías en vuelo parecen lanzar destellos en el momento en que al aletear muestran alternativamente la parte externa más oscura de las alas y la interior más clara. Cuando se conocen, las características del avefría son inconfundibles.

El adulto en invierno tiene las cresta más corta, hileras de plumas verdes en el dorso y garganta y pechera poco definidas.

Las avefrías vuelan en bandadas cerradas que revolotean y giran, dando la impresión de lanzar destellos ya que alternan su parte superior oscura y la zona ventral clara.

Las amplias y redondeadas alas son un rasgo característico de las avefrías.

Las parejas en cría se exhiben sobre los campos con vuelos nerviosos.

En invierno, las bandadas se reúnen en campos, a veces en compañía de chorlitos dorados y gaviotas reidoras.

SIMILARES

Vuelvepiedras (p. 144) Llamativo dorso. Postura menos erguida. En costas.

Ostrero (p. 146) Blanco y negro. Largo pico naranja.

Chorlitejo grande (p. 148) Más pequeño. Sin cresta.

Chorlito dorado común (p. 136) Más esbelto. Tono dorado en el dorso.

Arao común

El adulto en plumaje de cría muestra la cabeza y partes superiores marrón chocolate y pecho blanco.

De todas las aves del hemisferio norte, el arao común es el más parecido a un pingüino. Pero a diferencia de los pingüinos, tienen alas que son lo suficientemente potentes para volar. Bajo el agua, el arao común y otros miembros de la familia de los álcidos utilizan las alas para nadar en persecución de pequeños peces. Los araos pasan la mayor parte de su vida en el mar, volviendo a las costas e islas costeras para anidar.

En invierno, el adulto pierde el marrón en la cara y en gran parte de la cabeza, y los flancos se vuelven más rayados.

DATOS

Nombre científico *Uria aalge*
Familia Álcidos
Largo 38-46 cm
Envergadura 61-73 cm
Nido Salientes de acantilados
Huevos 1, en variedad de colores y marcas y manchas oscuras
Nidadas 1 al año
Alimento Pequeños peces, crustáceos, moluscos
Voz Variedad de notas entrecortadas y fuertes en sus colonias de nidificación
Dónde se ve Fuera de la época de cría, pueden verse ocasionalmente lejos de las costas, pero los mejores lugares para avistar araos son en sus colonias de nidificación en los acantilados de las costas del oeste y norte.

Desde abajo, parece claro con primarias ligeramente más oscuras.

En vuelo desde arriba, el arao parece marrón oscuro, muestra blanco en cada lado del obispillo y tiene puntas blancas en las alas. Obsérvense las alas estrechas.

Los araos anidan en colonias muy pobladas en los acantilados.

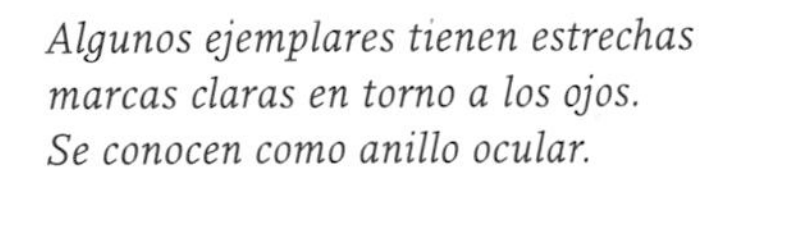

Algunos ejemplares tienen estrechas marcas claras en torno a los ojos. Se conocen como anillo ocular.

SIMILARES

Frailecillo (p. 150) Más pequeño. Más redondo y con pico grande. Sin blanco en alas.

Alca común (p. 151) Más negra. Pico grueso.

Gaviota sombría (p. 156) Cabeza blanca. Alas anchas. Forma diferente.

Ostrero en vuelo **(p. 146)** Amplias barras alares blancas. Largo pico rojo anaranjado.

Gaviota reidora

El adulto en invierno tiene marcas no definidas en la cabeza y una punta negra en el pico rojo.

El adulto en verano tiene cabeza marrón chocolate, patas rojas y pico rojo.

DATOS
Nombre científico *Larus ridibundus*
Familia Láridos
Largo 35-39 cm
Envergadura 86-99 cm
Nido Taza de vegetación o en el suelo
Huevos 3, crema, con manchas oscuras
Nidadas 1 al año
Alimento Invertebrados, semillas, basura
Voz Llamada «kiiarrr» estridente
Dónde se ve Residente en gran parte de las costas, cría en el interior, como en lagos poco profundos y marismas. Migran del norte y este de Europa al sur y oeste en el invierno.

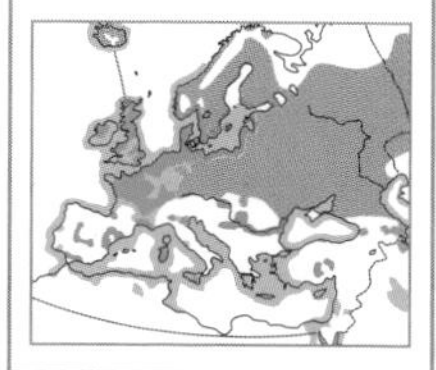

Durante gran parte del año, esta gaviota se encuentra por toda Europa. Se ve tanto tierra adentro como por las costas, y es la gaviota que se avista con más frecuencia siguiendo los arados. La cabeza es marrón chocolate oscuro más que negra. En invierno, en la cabeza se observan dos líneas verticales poco definidas. Los juveniles son sobre todo moteados con marrón y gris.

Los juveniles tienen zona ventral clara, a diferencia de otras gaviotas inmaduras con zona ventral moteada.

En vuelo, los adultos muestran marcas blancas en la parte delantera de las alas, que son más puntiagudas que en las gaviotas más grandes.

Desde abajo, se puede observar una mancha gris oscura en cada punta de las alas.

A medida que se aproxima la primavera, las aves que pasan su primer invierno se vuelven más grises.

Las gaviotas reidoras anidan en colonias y las aves en apareamiento ejecutan vigorosas exhibiciones.

SIMILARES

Gaviota argéntea en invierno **(p. 155)** Marcas blancas y negras en la punta de las alas. Cola blanca. Más grande.

Gaviota cana (p. 154) Ligeramente más grande. Manchas listadas en la cabeza en invierno.

Charrán común (pp. 66-67) Más esbelto. Pico negro. Cola larga.

Gaviota tridáctila en invierno **(p. 153)** Marcas oscuras en la cabeza. Alas grises con puntas negras.

Charrán común

Los adultos en plumaje de verano tienen cortas patas rojas, pico rojo anaranjado con punta negra, que es más fino que el de las otras gaviotas, y píleo negro.

DATOS

Nombre científico *Sterna hirundo*

Familia Estérnidos

Largo 34-37 cm (incl. rectrices de la cola de 5-8 cm)

Envergadura 70-85 cm

Nido Hoyo en el suelo.

Huevos 2-3, crema, muy moteados con negro

Nidadas Suele ser una

Alimento Pequeños peces

Voz «Kirrit, kirrit» agudo

Dónde se ve Visitante estival entre abril y octubre en colonias de zonas costeras bajas y en islas frente a la costa. También cría en playas de guijarros y en graveras. Se desplaza al sur en invierno hacia el oeste y sur de África.

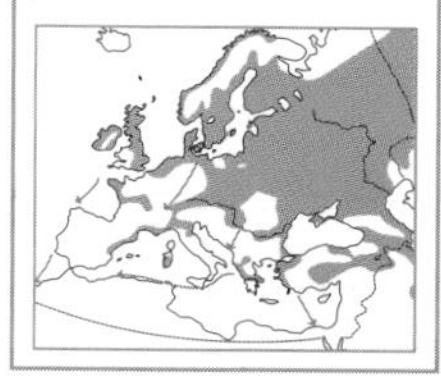

La esbelta elegancia y la larga cola ahorquillada del charrán común le hacen merecedor del nombre de «golondrina de mar». Es una migradora que recorre largas distancias, y que llega a las costas cada invierno para reproducirse. Algunas incluso llegan hasta Sudáfrica. Cría en colonias en torno a la costa y en el interior, como en graveras, y en donde haya un hábitat adecuado.

En invierno, los adultos tienen el pico negro, frente blanca y cola más corta.

El juvenil tiene el dorso rojizo que se vuelve gris en invierno.

En invierno los adultos tienen la cola más corta.

En vuelo, el adulto de verano tiene unas destacadas rectrices largas y marcas alares gris oscuras. Las primarias interiores son traslúcidas.

Los charranes pescan planeando y cayendo en picado repentinamente para atrapar los peces con el pico.

SIMILARES

Charrán ártico en vuelo en verano **(p. 158)** Primarias traslúcidas. Rectrices de la cola muy largas. Pico rojo.

Charrán ártico en verano **(p. 158)** Patas muy cortas. Rectrices de la cola sobresalen más allá de las alas.

Charrán patinegro en vuelo en verano **(p. 159)** Más grande. Cresta lanuda. Pico negro con punta amarilla.

Gaviota reidora en vuelo **(pp. 64-65)** Frente más alta. Cara negra. Menos esbelto.

Gallineta común

El polluelo es esponjoso, con piel roja en la cabeza.

El adulto tiene la zona ventral y la cabeza gris pizarra, alas marrones y una línea blanca irregular por el borde de las alas cuando las pliega, una V blanca invertida en la parte interior de la cola, largas patas verdes y dedos largos, y un pico rojo brillante con punta amarilla y un escudo facial.

También llamada polla de agua, es un ave acuática común que se alimenta tanto en el agua como en la tierra. Tiene dedos largos y sus pies no están palmeados, lo que le permite caminar sobre la tierra, pero nada muy bien. En algunos lugares puede ser muy tímida, corriendo para ocultarse de la vista de los humanos, pero en otros es más confiada. Cuando se ve molestada, puede sumergirse en el agua y respirar por el pico, que saca a la superficie. En primavera, los machos defienden de manera vigorosa sus territorios.

DATOS

Nombre científico *Gallinula chloropus*

Familia Rálidos

Largo 27-31 cm

Envergadura 50-55 cm

Nido Taza de hierba en la vegetación ribereña

Huevos 5-11, pardos, moteados con marrón

Nidadas 2-3 al año

Alimento Semillas, plantas, insectos acuáticos

Voz Varias llamadas, que incluyen un agudo y explosivo «pli-ip». Llamada muy aguda para contactar con el grupo familiar.

Dónde se ve Residente en la proximidad de pequeñas áreas de agua, donde hay vegetación densa en donde anidar y alimentarse. Los criadores del norte de Europa se desplazan al sur en invierno.

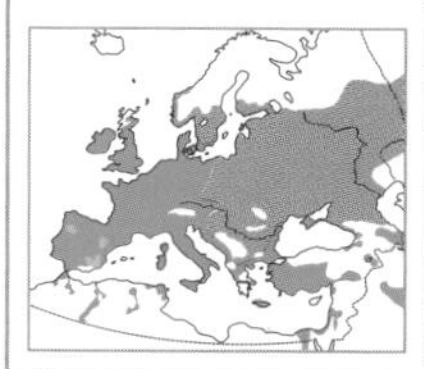

Los juveniles tienen la característica forma de gallineta, pero son marrones y grises.

Los dedos cuelgan en vuelo.

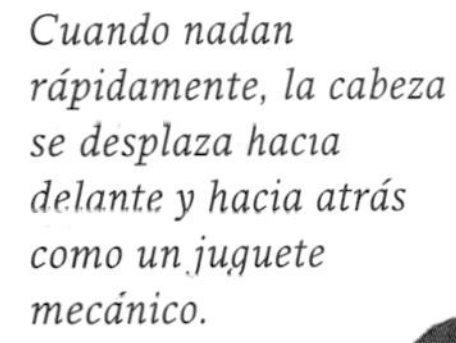

Cuando nadan rápidamente, la cabeza se desplaza hacia delante y hacia atrás como un juguete mecánico.

Eleva la cola para advertir a los jóvenes.

Los jóvenes de la primera nidada ayudan a alimentar a los polluelos de las nidadas siguientes.

SIMILARES

Focha común **(p. 160)** Más grande. Más rechoncha. Pico blanco y escudo facial. Se zambulle con facilidad.

Porrón moñudo ♂ **(p. 166)** Forma redondeada de pato. Blanco y negro con penacho.

Porrón moñudo ♀ **(p. 166)** Forma redondeada de pato. Marrón.

Zampullín común **(p. 161)** Más pequeño. Cuerpo rechoncho. Se zambulle con facilidad.

Ánade real

El ♂ en plumaje de reproducción tiene una cabeza verde oscuro metálico, pico amarillo, collar estrecho blanco, pecho marrón oscuro, patas naranjas y plumas de la cola curvadas.

La ♀ es marrón con escamado oscuro y patas naranjas.

Es el pato típico. Abundante y muy extendido, es la especie de la que descienden la mayoría de los patos domésticos. El macho, con brillantes colores con su cabeza verde metálico, cuello blanco y pico amarillo, es inconfundible en el plumaje de cría. Sin embargo, durante unas pocas semanas a finales del verano sufre una muda (conocida como «eclipse») durante la cual se parece más a la poco vistosa hembra. Los ánades se aparean en otoño, a veces incluso en agosto. El macho permanece cerca de su pareja hasta que ha puesto los huevos y ha comenzado a incubar su nidada la primavera siguiente y después ya no toma parte en el proceso de cría.

El ♂ en plumaje eclipse se parece a la ♀, pero se pueden ver indicios del patrón del plumaje de reproducción.

El polluelo es marrón oscuro con plumón amarillo, y punta amarilla en el pico.

DATOS

Nombre científico *Anas platyrhynchos*

Familia Anátidos

Largo 50-60 cm

Envergadura 81-95 cm

Nido Hoyo en el suelo, revestido de ramas, hierbas y plumón

Huevos 9-13, crema a verde claro

Nidadas 1 al año

Alimento Semillas, plantas acuáticas, invertebrados acuáticos

Voz El macho tiene una suave llamada, bastante nasal, que parece un breve silbido cuando corteja. Es el macho quien emite el característico «cuac».

Dónde se ve Residente en toda Europa occidental, las aves que crían en Escandinavia y este de Europa se desplazan al sur en otoño. Los ánades utilizan prácticamente todo tipo de vías de agua. Pueden anidar a 1 km del agua.

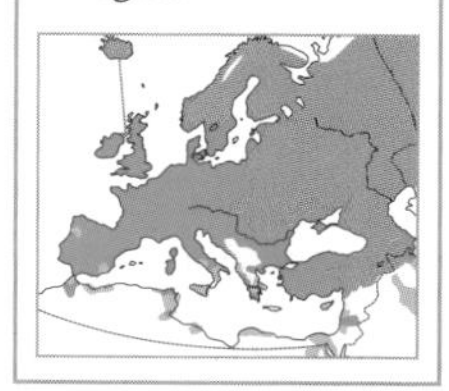

En vuelo, ambos sexos muestran una mancha azul oscuro (conocida como espéculo) en cada ala. En el vuelo en línea recta, las alas parecen bastante anchas y con puntas romas, con aleteos bastante rápidos.

Los ánades se alimentan en la superficie, caminando por la tierra o zambullendo la cabeza para atrapar plantas sumergidas.

SIMILARES

Cerceta ♂ (p. 164) Unos dos tercios más pequeña que el ánade. Rechoncha. Espéculo verde.

Cerceta ♀ (p. 164) Unos dos tercios más pequeña que el ánade. Rechoncha. Espéculo verde.

Silbón europeo ♀ (p. 165) Marrón rojizo. Cabeza redondeada. Sin escamado.

Cuchara común ♂ (p. 162) Gran pico. Pecho blanco.

Somormujo lavanco

El adulto en plumaje de cría muestra un penacho oscuro doble y un mechón de plumas en la cara. Obsérvese cómo se hunde en el agua.

DATOS

Nombre científico *Podiceps cristatus*
Familia Podicipédidos
Largo 46-51 cm
Envergadura 59-73 cm
Nido Pila de materia vegetal flotante y anclada en la vegetación
Huevos 4, blanco tiza
Nidadas 1 o 2 al año
Alimento Peces
Voz Llamadas «ra-ra» agudas y de largo alcance y una serie de sonidos y gruñidos nasales
Dónde se ve Cría en lagos y en grandes ríos con juntos y otra vegetación ribereña. En invierno se encuentra en las costas y en grandes lagos.

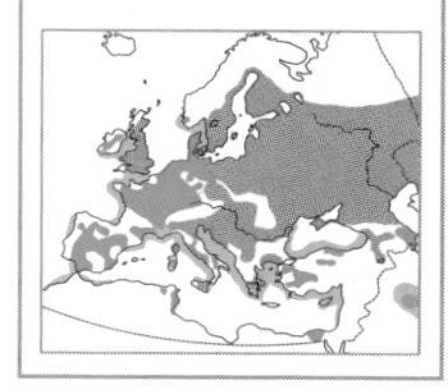

Su cresta y la cara con mechones de plumas convierten al somormujo lavanco en una de las aves más extraordinarias que se pueden avistar. A comienzos de la primavera, los adultos elaboran complejos rituales de cortejo que implican a ambos miembros de la pareja. Durante el siglo XX la población aumentó con la creación de hábitats de reproducción en las graveras inundadas dejadas por la industria de la construcción.

En invierno el adulto pierde el penacho y las plumas de la cara.

Los juveniles tienen la cara y el cuello con franjas.

En vuelo, el dorso parece mostrar una joroba con el cuello y patas estiradas. Al aletear las manchas blancas dan a las alas un aspecto parpadeante.

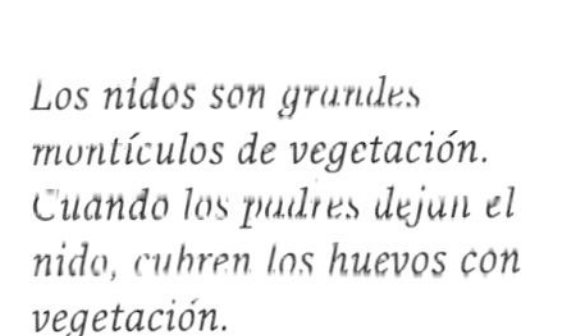

Los nidos son grandes montículos de vegetación. Cuando los padres dejan el nido, cubren los huevos con vegetación.

Los complejos rituales de cortejo incluyen mutuas sacudidas de cabeza.

Cuando las crías son pequeñas, montan sobre el dorso de sus padres.

SIMILARES

Ánade real ♀ **(pp. 70-71)** Cuello más corto. Sin contraste entre las partes superior e inferior. Pico plano.

Zampullín común **(p. 161)** Más rechoncho. Más coloreado.

Focha común (p. 160) Plumaje negro. Máscara facial y pico blancos.

Cormorán grande **(pp. 76-77)** Más grande. Pico oscuro y ganchudo.

Garza real

El adulto en plumaje de reproducción tiene frente blanca con pico amarillo, una mancha oscura en las alas y zona ventral negra.

DATOS

Nombre científico *Ardea cinerea*

Familia Ardeidos

Largo Con el cuello extendido, 84-102 cm

Envergadura 155-175 cm

Nido Plataforma voluminosa de ramas

Huevos 3-5, verde azulado claro

Nidadas 1 al año

Alimento Peces, anfibios, roedores, aves

Voz «Fraaank» agudo y ronco

Dónde se ve Cría en colonias, por lo general en árboles altos en los bosques. Se alimenta en aguas poco profundas, incluida la costa. Las aves que crían en Escandinavia y el este de Europa se desplazan al suroeste en invierno. La población se reduce considerablemente durante los inviernos duros.

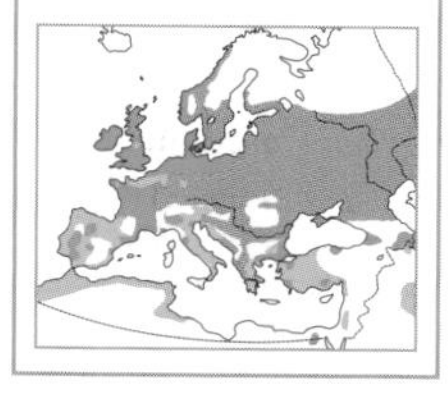

Grande, de cuello largo y largas patas, la garza real tiene una forma muy característica. En su plumaje de reproducción luce una cresta negra, manchas negras en el «codo» de las alas, dorso gris y plumas finas en el pecho. El pico largo y fuerte es perfecto para atrapar sus resbaladizas presas de peces. Cuando pesca, se queda totalmente inmóvil. También puede cazar roedores y ranas en el campo usando el mismo método de esperar y golpear con el pico cuando la presa se acerca.

El juvenil tiene cuello gris, píleo oscuro y pico oscuro.

En vuelo, el cuello se flexiona hacia atrás y las patas sobresalen estiradas con los dedos flexionados. Los aleteos son lentos y no muy regulares.

Desde arriba, las primarias negras contrastan con el gris de alas y dorso.

Las garzas reales anidan en colonias en árboles, y los adultos se exhiben cuando llegan y parten del nido.

Cuando captura un pez, las garzas le dan la vuelta para tragar primero la cabeza. Una vez tragado el pez, la garza se lava el pico.

SIMILARES

Cormorán grande en vuelo **(pp. 76-77)** Cuello estirado, aleteos superficiales y planeos frecuentes.

Cisne vulgar en vuelo **(pp. 80-81)** Cuello estirado, las alas parecen estar hacia atrás.

Barnacla canadiense en vuelo **(p. 78-79)** Cuello estirado, alas apuntadas.

Ratonero común en vuelo **(pp. 50-51)** Alas con «dedos», aleteos rápidos y enérgicos en vuelo directo.

Cormorán grande

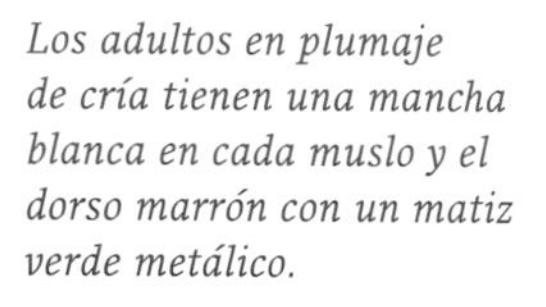

Los adultos en plumaje de cría tienen una mancha blanca en cada muslo y el dorso marrón con un matiz verde metálico.

DATOS

Nombre científico *Phalacrocorax carbo*

Familia Falacrocorácidos

Largo 77-94 cm

Envergadura 121-149 cm

Nido Montículo de hierbas o ramas en un acantilado o en un árbol

Huevos 3-4, azul claro

Nidadas 1 al año

Alimento Peces

Voz Silencioso, pero emite sonidos guturales en las colonias de reproducción.

Dónde se ve En Europa occidental, los cormoranes son sobre todo aves de costas, aunque recientemente se han desplazado tierra adentro, donde se han establecido varias colonias de reproducción. Después de la época de cría, las aves se dispersan, pero no realizan una migración masiva.

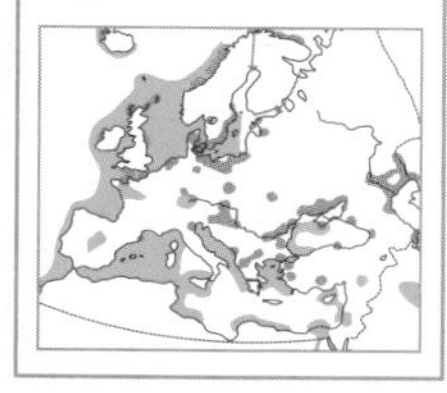

La patas del cormorán grande están dispuestas al extremo del cuerpo, con largos pies palmeados para impulsarse bajo el agua y largo cuello móvil y pico con punta ganchuda para atrapar peces. En tierra, el cormorán camina con un paso torpe, pero puede posarse en los árboles en las colonias de cría de tierra adentro.

El adulto en invierno carece de las manchas blancas en el muslo y tiene una cara más gris.

Juvenil acicalándose. Obsérvese la zona ventral gris clara.

Vuela en bandadas. Obsérvese la larga cola y las alas estrechas.

En vuelo, el cuello es grueso y rígido. Obsérvese la mancha blanca que indica un ave en reproducción.

Es típica la postura para secarse con las alas extendidas. Los cuatro dedos apuntan hacia adelante.

Después de haber capturado un pez, el cormorán se traga primero la cabeza.

SIMILARES

Cormorán moñudo en vuelo **(p. 168)** Cuello fino. Alas más cortas y más redondeadas.

Cormorán moñudo **(p. 168)** Cara oscura. Matiz grisáceo general en el plumaje. Sin mancha blanca en el muslo.

Ánsar común en vuelo **(p. 171)** Más pesado. Gris en alas. Cabeza más redondeada.

Alcatraz atlántico joven en vuelo **(p. 169)** Con forma de cigarro. Plumaje moteado.

Barnacla canadiense

El ♂ y la ♀ son parecidos y tienen la cabeza negra y el cuello con blanco que recorre gran parte de la cabeza desde la barbilla.

DATOS

Nombre científico *Branta canadensis*
Familia Anátidos
Largo 90-100 cm
Envergadura 160-175 cm
Nido Hoyo de vegetación, revestido de ramas y plumas
Huevos 5-6, blanco
Nidadas 1 al año
Alimento Hierba, semillas, cereal, plantas acuáticas
Voz Graznido alto bisilábico, con la segunda sílaba de un tono más alto
Dónde se ve Cría en humedales, junto a lagos e islas en graveras. A diferencia de las barnaclas canadienses nativas de Norteamérica, estas aves silvestres no migran, aunque una población de Suecia se desplaza al sur para evitar las aguas congeladas en invierno.

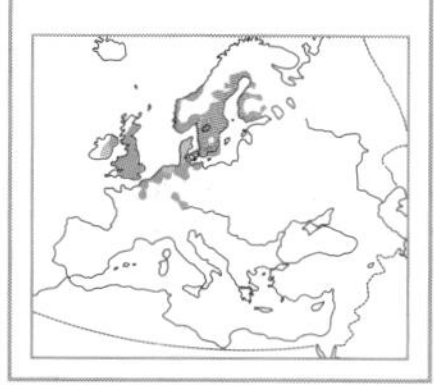

Este gran ánsar de cuello largo se introdujo por primera vez en Norteamérica en el siglo XVII, pero la población se disparó en la segunda mitad del siglo XX hasta el punto de que la barnacla canadiense se ha convertido en una plaga en los parques, granjas e incluso en los humedades naturales, donde se han apoderado de las áreas de anidación de especies más vulnerables. Los intentos de controlar su número han tenido muy poco éxito. Ambos padres atienden a las crías y las familias permanecen juntas en otoño. El joven cambia del plumaje amarillo a parecer una versión en miniatura de sus padres.

Las crías están cubiertas por plumón amarillo. El amarillo se torna gris a las tres semanas y los juveniles adquieren gradualmente el patrón de los adultos.

En vuelo, el cuello se estira y las alas se echan para atrás hacia la parte posterior del cuerpo.

Fuera de época de reproducción, las barnaclas canadienses se ven en bandadas.

Los padres con crías están alertas al peligro y siempre hay uno vigilando.

Desde atrás, en vuelo, se observa una clara V blanca en el obispillo.

SIMILARES

Ánsar común en vuelo **(p. 171)** Cuello más corto. Gris en la parte delantera de las alas. V estrecha blanca en el obispillo.

Barnacla carinegra en vuelo **(p. 170)** Sin blanco en la cara.

Cisne vulgar en vuelo **(pp. 80-81)** Grande. Blanco. Cuello más largo.

Cormorán grande en vuelo **(pp. 76-77)** Alas apuntadas. Cola larga. Pico más largo.

Cisne vulgar

DATOS

Nombre científico *Cygnus olor*

Familia Anátidos

Largo 140-160 cm

Envergadura 200-240 cm

Nido Montículo muy grande de vegetación, junto al agua

Huevos 5-7, blanco

Nidadas 1 al año

Alimento Plantas acuáticas

Voz El cisne vulgar emite una variedad de sonidos, incluyendo siseos y gruñidos. Los aleteos crean un sonido vibrante cuando el aire pasa por los cañones de las plumas.

Dónde se ve Los cisnes vulgares crían en aguas abiertas, ríos y lagos ornamentales. Se han introducido en varias áreas urbanas de Europa. Las poblaciones de Europa occidental son sobre todo sedentarias, aunque bandadas de aves en período no reproductivo se desplazan a puertos y otras áreas costeras.

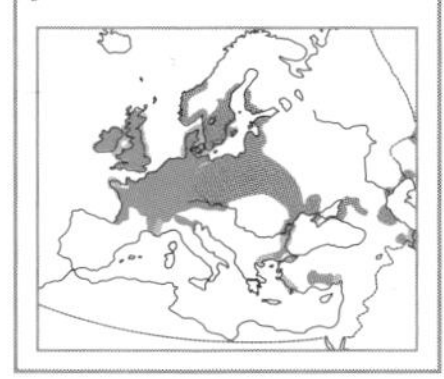

Muy grande y por lo general sin miedo de la gente, el cisne común es una de las aves acuáticas más conocidas. El largo cuello le permite alimentarse de la vegetación sumergida, a la que llega al hundir la cabeza bajo el agua. Ambos sexos tienen una protuberancia en la base del pico, pero la del macho es mayor. Los cisnes vulgares suelen nadar con las alas elevadas, lo que a veces forma parte de una exhibición agresiva. Bandadas de cisnes vulgares se pueden ver durante todo el año; están compuestas por adultos y jóvenes que todavía no han alcanzado la madurez reproductiva.

La ♀ con crías muy jóvenes a veces les permite trepar a su espalda. Las crías son grises.

En vuelo, el largo cuello está estirado. Los aleteos son lentos.

Los largos pies palmeados se usan como frenos cuando el cisne llega a tierra.

Las aves que han pasado su primer invierno son gris parduscas, y el blanco aparece de manera gradual a finales del invierno y primavera.

Cuando los cisnes sumergen la cabeza para alimentarse, utilizan los pies para mantener el equilibrio.

SIMILARES

Barnacla canadiense en vuelo **(pp. 78-79)** Cuello corto y negro.

Ánsar común (p. 171) Cuello más corto. Gris en la parte delantera de las alas. V estrecha blanca en el obispillo

Cormorán grande en vuelo **(pp. 76-77)** Alas apuntadas. Cola larga. Pico más largo.

Garza real en vuelo **(pp. 74-75)** Patas que sobresalen de la cola. Cuello flexionado hacia atrás.

Grajilla común

Las grajillas anidan con frecuencia en chimeneas.

Las alas en vuelo parecen ser más anchas y más puntiagudas que las de los otros cuervos.

DATOS

Nombre científico *Corvus monedula*

Familia Córvidos

Largo 30-34 cm

Envergadura 64-73 cm

Nido Ramas en grietas rocosas, en edificios y huecos en árboles

Huevos 4-6, azul pálido, moteado con marrón

Nidadas 1 al año

Alimento Gusanos, insectos, grano, huevos y polluelos

Voz Ruidoso. Utiliza variedad de llamadas, incluidas un agudo «jiack» y un «kyaar» más largo. Las bandadas que pernoctan cacarean.

Comparación Más pequeño que la corneja negra, más grande que el mirlo

Dónde se ve Las grajillas se encuentran en toda Europa (excepto en áreas montañosas de Escandinavia). Ave sociable, anida en edificios y bosques y parques con árboles añosos. Residente en la mayor parte de su rango.

La grajilla occidental es el más pequeño de los cuervos «negros». Es un ave muy sociable, criando con frecuencia en colonias poco pobladas en edificios antiguos como castillos y catedrales y se suelen ver en bandadas que pueden contener grajas y otros cuervos. Desde abajo, la parte interior de las alas es uniformemente gris oscura. La nuca gris más clara se suele ver en vuelo y las alas son bastante redondeadas, con «dedos» cortos. Los ojos son gris claro.

Los juveniles carecen de nuca gris.

Graja común

En el vuelo hay un estrechamiento observable de las alas cuando se unen al cuerpo. La cola es menos cuadrada que la de la corneja negra.

DATOS

Nombre científico *Corvus frugileus*

Familia Córvidos

Largo 41-49 cm

Envergadura 81-94 cm

Nido Taza de ramas en lo alto de los árboles

Huevos 3-5, azul verdoso claro, moteados de marrón

Nidadas 1 al año

Alimento Semillas, granos, insectos, gusanos

Voz Muy ruidoso en los roqueros, con graznidos y llamadas «giaaahhh».

Población 2,3 millones

Comparación Algo más pequeño que la corneja negra.

Dónde se ve Las grajas se encuentran donde haya grandes árboles adecuados para anidar, excepto en las áreas más montañosas. Son fieles a los sitios de un año a otro. Las bandadas se alimentan en los terrenos de cultivo.

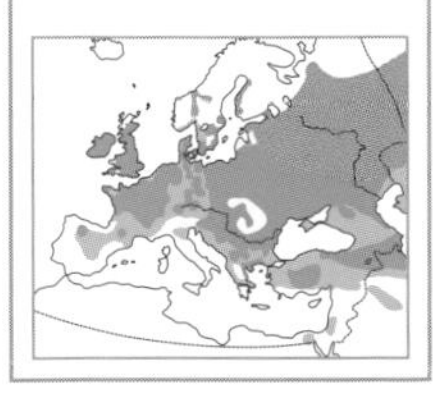

La graja común cría en colonias en lo alto de los árboles, con frecuencia cerca de ciudades o pueblos, y se desplaza a los campos para alimentarse. El pico pálido y un área desnuda en torno a la base del pico dan a la graja común una expresión intensa. Estas aves han aprendido que con la vibración del tráfico los gusanos y otros invertebrados salen a la superficie de las cunetas, y con frecuencia se pueden ver pavoneándose por la carretera.

El juvenil tiene el pico negro.

Los nidos se construyen en colonias, en lo alto de los árboles.

SIMILARES

Corneja negra en vuelo **(pp. 20-21)** Alas anchas por igual. Cola cuadrada.

Corneja cenicienta (pp. 20-21) Áreas grises definidas, más extensas que la grajilla occidental.

Corneja negra (pp. 20-21) Más grande. Negra.

Estornino pinto (pp. 16-17) Más pequeño. Más greñudo.

Arrendajo común

El adulto tiene plumaje rosáceo, frente rayada, pico y mostacho negros. alas blanco y negro con manchas alares azules.

En vuelo, el obispillo blanco y el negro en la cola y alas son muy característicos. Los aleteos son lentos con una acción «de remo».

DATOS

Nombre científico *Garrulus glandarius*
Familia Córvidos
Largo 32-35 cm
Envergadura 54-58 cm
Nido Taza de ramas en los árboles
Huevos 5-7, verde claro con motas pardas
Nidadas 1 al año
Alimento Frutos secos, bellotas, gusanos, insectos, polluelos, huevos
Voz Llamada chillona, roca y fuerte
Comparación Algo más pequeño que la paloma torcaz, más grande que el pico picapinos
Dónde se ve Cría en coníferas y bosques caducos, y en parques con árboles maduros. Prefieren sobre todo los robledales. Residente, pero los jóvenes se dispersan al final del verano y otoño, donde se pueden ver volando más sobre campos abiertos.

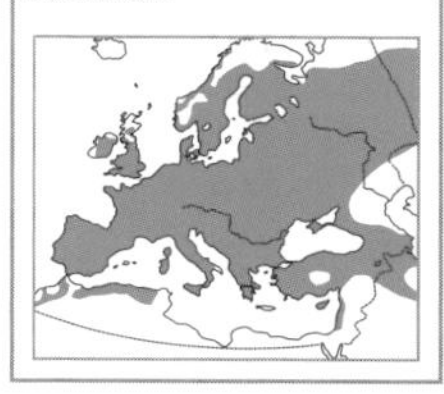

A pesar de su sorprendente plumaje rosado, bigotera negra, cresta rayada y matices azules y negros en las alas, es un miembro de la familia de los córvidos. En vuelo, la cola negra, el obispillo blanco y los matices azules en las alas lo hace diferente a cualquier otra especie. Las alas se estrechan hacia el cuerpo y su vuelo parece bastante balbuceante.

Los arrendajos entierran bellotas y las recuperan después.

SIMILARES

Urraca (pp. 40-41) Cola larga. Más blanca y negra que el arrendajo.

Pico picapinos (pp. 42-43) Más pequeño que el arrendajo. Patrón blanco y negro más complejo. Vuelo ondulado.

Zorzal charlo

En vuelo, que es suavemente ondulante, se ven las rectrices y las partes interiores de las alas blancas.

El adulto tiene manchas poco definidas redondeadas, pecho pardo blancuzco y rectrices blancas.

DATOS

Nombre científico *Turdus viscivorus*

Familia Túrdidos

Largo 26-29 cm

Nido Taza de hierbas revestidas con barro, en una horquilla de un árbol

Huevos 4-5, rojizo, moteado de azul

Nidadas 2 al año

Alimento Insectos, gusanos, bayas

Voz La llamada se suele emitir en vuelo y es un seco «zer-r-r-r-r» El canto es parecido al del mirlo, con breves frases variadas fuertes y claras. Suele ser el primer ave que canta después de una tormenta.

Comparación Más grande que el zorzal común

Dónde se ve Cría en jardines, bosques abiertos, parques, huertos y granjas con árboles. Algunas especies son residentes, pero otras son parcialmente migratorias entre septiembre y abril.

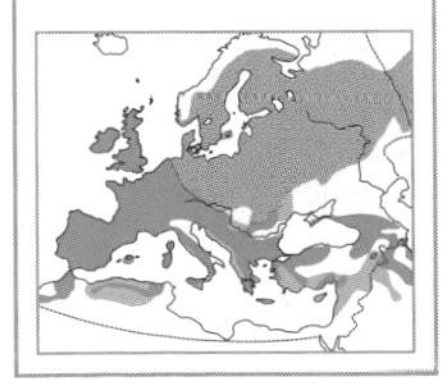

De postura erguida y de aspecto sólido, el zorzal charlo es un ave grande comparada con otros zorzales. Muestra un moteado más abundante que el zorzal común y plumas más claras en la cara. En el vuelo se ve una gran mancha clara en cada ala y plumas de la cola exteriores o rectrices blancas. El vuelo es bastante agitado y es menos ondulante que el de otros zorzales.

Emite el canto desde lo alto de los árboles.

SIMILARES

Zorzal común (pp. 22-23) Más pequeño que el zorzal charlo. Moteado regular, apuntado. Mancha naranja rojiza bajo las alas.

Jilguero (p. 97) Manchas juntas en pecho anaranjado. Obispillo gris. Dorso marrón rojizo.

Zorzal de alas rojas (p. 86) Más pequeño que el zorzal charlo. Cejas claras. Mancha rojiza bajo las alas.

Mirlo común ♂ (pp. 18-19) Más redondeado. Más oscuro.

Zorzal de alas rojas

En vuelo, visto desde arriba, la forma más rechoncha lo separa del zorzal común.

Desde abajo, en vuelo, la parte interior de las alas es rojo óxido.

DATOS

Nombre científico *Turdus iliacus*
Familia Túrdidos
Largo 19-23 cm
Nido Taza en un árbol
Huevos 4-5, azul claro
Nidadas 2 al año
Alimento Gusanos, insectos, bayas, manzanas caídas
Voz Es característica la llamada ronca «tsip-tsip» de estos zorzales en la migración, y suele ser el primer signo de su llegada en las noches de octubre. También emite una abrupta llamada «chack». El canto comienza con frases cortas y agudas seguidas de gorjeos.
Comparación Algo más pequeño que el zorzal común, más grande que el estornino.
Dónde se ve Los zorzales de alas rojas que crían en Islandia, Escandinavia y este de Europa se mueven al sur en otoño para invernar en toda Europa. Se encuentran en invierno alimentándose en los campos y en los parques o de bayas en las cunetas.

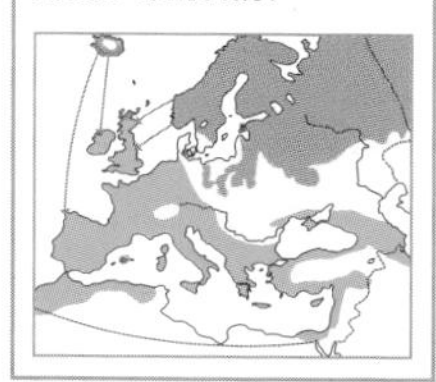

El patrón facial del zorzal de alas rojas, con cejas claras y una franja oscura a través de los ojos, es muy característico. Estas marcas de la cabeza son una pista importante para la identificación, en especial cuando estos zorzales están en el suelo y la hierba puede impedir que se vean los otros rasgos característicos. Su nombre procede del tono rojo óxido debajo de las alas, que muestra cuando las alas están en reposo y cuando está volando.

Los zorzales de alas rojas se alimentan de bayas de setos en invierno y se desplazan a los jardines cuando el tiempo empeora.

Zorzal real

En vuelo, la parte interior de las alas es blanca, en contraste con las primarias oscuras, y la cola parece bastante larga.

Desde arriba, el obispillo gris claro es característico.

Sorprendentemente marcado, el zorzal real es un ave atractiva, con aspecto bastante fiero, con obispillo gris en contraste con un dorso marrón rojizo. El pecho presenta un patrón de líneas y el fondo es naranja claro. El zorzal real defenderá de otras aves un arbusto con bayas. Con frecuencia se ve en bandadas con otros zorzales, en particular los de alas rojas.

Los zorzales reales y los de alas rojas se alimentan de las peras y manzanas caídas de los árboles. Los zorzales reales también se alimentan de bayas.

DATOS

Nombre científico *Turdus pilaris*

Familia Túrdidos

Largo 22-27 cm

Nido Taza en una rama ahorquillada

Huevos 5-6, azul claro con marcas rojizas

Nidadas 1 o 2 al año

Alimento Insectos, gusanos, bayas, fruta

Voz Las llamadas son un «uic» chillón o un seco «chac-chac». Canto simple.

Comparación Más grande que el zorzal común, más pequeño que el cernícalo

Dónde se ve Cría en en el norte y este de Europa, migra al sur y suroeste en otoño. En invierno se encuentra en campos abiertos, parques y jardines.

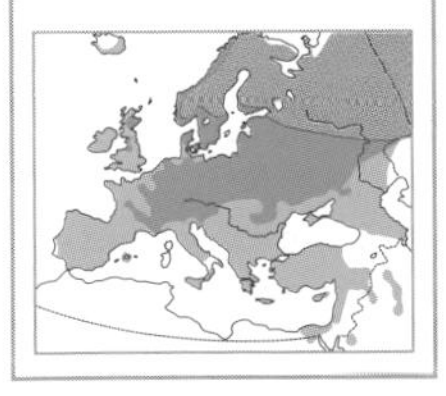

SIMILARES

Zorzal charlo (p. 85) De tamaño similar al zorzal real. Menos marcado.

Zorzal común (pp. 22-23) Ligeramente más grande que el de alas rojas, pero más pequeño que el real. Menos marcado que cualquiera de los dos.

Estornino en vuelo **(pp. 16-17)** Más rechoncho que el zorzal de alas rojas. Alas más hacia atrás.

Zorzal común en vuelo **(pp. 22-23)** Interior de las alas rojizo claro.

Zorzal charlo en vuelo **(p. 85)** Cola más larga. Interior de las alas blanco. Rectrices blancas. Pecho más redondeado.

Acentor común

Ambos sexos tienen cara y pecho grises, y flancos estriados. El dorso es pardo rayado, como el del gorrión común.

El canto suele emitirse desde la parte superior de un arbusto o una rama del árbol.

Antiguamente conocido como «gorrión de los setos», el acentor es en realidad un ave de setos (y de jardines, matorrales y bosques abiertos) y comparte el color bastante poco llamativo de los gorriones, pero no está emparentado con ellos. Es un ave insectívora que suele pasar desapercibida, pero es muy común.

Aunque suele pasar desapercibido, el acentor realiza el cortejo batiendo las alas.

DATOS

Nombre científico *Prunella modularis*

Familia Prunélidos

Largo 13-14,5 cm

Envergadura 19-21 cm

Nido Taza en arbusto

Huevos 4-5, azul intenso

Nidadas 2-3 al año

Alimento Sobre todo insectos, pero también bayas y semillas

Voz La llamada de alarma es un «tiii» fuerte. El canto es una clara mezcla de sonidos que duran unos dos segundos.

Comparación Similar al petirrojo

Dónde se ve Cría en toda Europa hasta aproximadamente la latitud de Madrid. Las aves escandinavas se desplazan al sur en otoño, pero residen en otras partes de Europa. Prefiere los jardines, parques, bosques abiertos y áreas abiertas donde haya bastante cobertura.

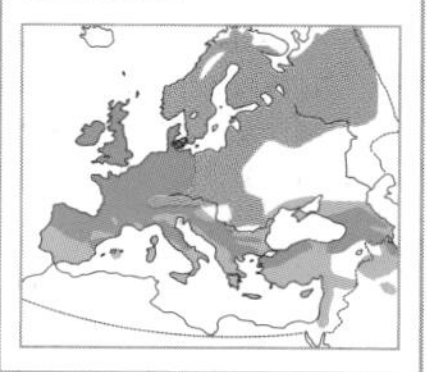

Papamoscas gris

El adulto es gris con dorso oscuro, en contraste con la frente clara con moteado en rostro y garganta.

El estilo de alimentación es muy característico, ya que el papamoscas captura insectos voladores y vuelve a la percha desde donde salió.

A pesar de no ser particularmente colorido, el papamoscas gris es una pequeña ave muy elegante. El pecho claro contrasta con la cabeza y el dorso grises. Se observa un sutil moteado en la cabeza y garganta. Se alimenta de moscas (y de otros insectos en vuelo) volando desde una percha y volviendo luego a ella. Su postura cuando está posado es erguida.

Los papamoscas grises anidan en cajas de anidación con apertura frontal.

DATOS

Nombre científico *Muscicapa striata*
Familia Muscicápidos
Largo 13.5-15 cm
Nido Taza apoyada en un tronco de árbol o pared
Huevos 4-5, azul claro con manchas rojizas
Nidadas 1-2 al año
Alimento Insectos en vuelo
Voz Llamada «ziii» corta y chillona. Canto bastante agudo y chirriante
Comparación Similar al petirrojo
Dónde se ve Visitante veraniego desde África a casi toda Europa. Cría en parques, bosques abiertos y jardines. Últimamente es menos común.

SIMILARES

Gorrión común ♂ (pp. 30-31) Pico mucho más grueso. Sin rayas en flancos.

Petirrojo juvenil **(pp. 24-25)** Pecho más redondeado, moteado Típica postura de los petirrojos.

Papamoscas cerrojillo ♂ (p. 91) Dorso marrón oscuro en contraste con pecho claro. Rechoncho. Mancha clara en alas.

Colirrojo real ♂ (p. 90) Cola más larga y rojiza.

Colirrojo real

La ♀ tiene pecho claro con tintes anaranjados, dorso y alas marrones con cola rojiza.

El ♂ en verano tiene pecho y cola rojizos, dorso y píleo gris azulado, cara negra, franja ocular y frente blancas.

DATOS

Nombre científico *Phoenicurus phoenicurus*
Familia Túrdidos
Largo 13-14,5 cm
Nido Taza en una oquedad de árbol o pared
Huevos 6-7, azul claro
Nidadas 2 al año
Alimento Insectos
Voz Llamada de silbido «huit», seguida con frecuencia de clics trisilábicos y un suave y agudo canto melancólico.
Comparación Similar al petirrojo
Dónde se ve Visitante estival en toda Europa, pero ausente de Irlanda.

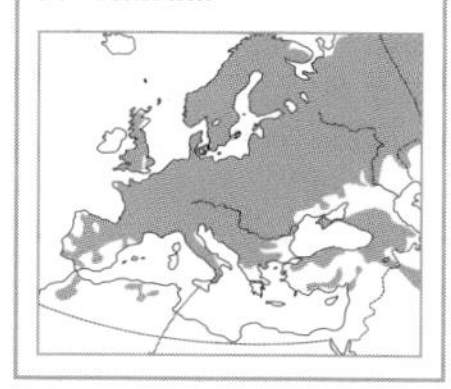

El pecho rojo y la forma del colirrojo real recuerdan al petirrojo, pero con la cola roja y dorso gris azulado, el colirrojo real es incluso más llamativo, pero mucho menos confiado. Su hábitat favorito son los bosques de caducifolias, donde pueden ser sorprendentemente difíciles de ver, ya que el patrón rayado del macho les proporciona un eficaz camuflaje protector. Las especies europeas migran a África para pasar el invierno.

En vuelo, la cola y el obispillo rojizos son evidentes en ambos sexos.

Papamoscas cerrojillo

El ♂ en verano tiene pecho blanco, dorso y alas negras con manchas y marcas blancas en cada lado de la cola.

La ♀ tiene el pecho claro, dorso y alas pardo oliváceo con manchas blancas.

El macho de esta ave blanca y negra es bastante rechoncho y no se parece a ninguna otra ave que se encuentra en su hábitat boscoso. Se posa más de manera más horizontal que el papamoscas gris, con frecuencia ladeando la cola y levantando un ala con nerviosismo. En otoño, los machos son más apagados y se parecen a las hembras, pero las alas y la cola a veces son más oscuras. Los papamoscas cerrojillo comparten su hábitat boscoso con el colirrojo real.

Los papamoscas cerrojillo suelen anidar en oquedades, pero también utilizan cajas de anidación.

DATOS

Nombre científico *Ficedula albicilla*

Familia Muscicápidos

Largo 12-13,5 cm

Nido Taza en una oquedad de árbol o caja de anidación

Huevos 4-7, azul claro

Nidadas 1 al año

Alimento Insectos

Voz La llamada es un tranquilo chasquido, y la llamada de alarma es un «pick» repetitivo y breve. Su canto es fuerte y consta de frases de dos segundos con elementos repetitivos.

Comparación Similar al petirrojo

Dónde se ve Esta pequeña ave blanca y negra se encuentran en las áreas altas península Ibértica y en otras zonas de Europa, como en Gran Bretaña. Es un visitante veraniego que inverna en el oeste de África.

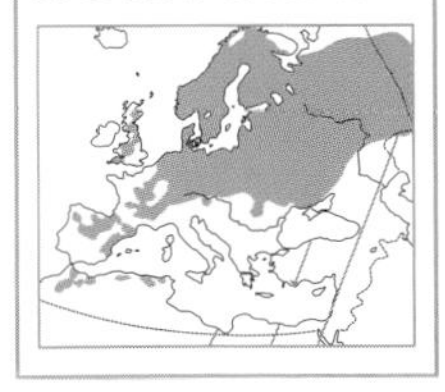

SIMILARES

Petirrojo europeo (pp. 24-25) Sin gris azulado en el dorso. Sin blanco en cabeza. Moteado claro en pecho.

Carbonero común (p. 104) Pecho amarillo, con banda negra bien definida.

Acentor común (p. 88) Más apagado. Dorso con franjas. Con frecuencia se alimenta en el suelo.

Pinzón vulgar ♀ (pp. 26-27) Barras alares más estrechas.

Tarabilla común

La hembra tiene pecho rojizo, cabeza y pecho barrada, cejas claras poco definidas, mancha blanca en las alas.

DATOS

Nombre científico *Saxicola torquata*

Familia Túrdidos

Largo 11,5-13 cm

Nido Taza suelta de hierbas y hojas, revestida con pelo y plumas

Huevos 4-5, azulado claro

Nidadas 2-3 al año

Alimento Pequeños insectos y otros invertebrados

Voz La llamada es un silbido agudo y chillón con chasquidos guturales, pero el canto es corto y agudo, bastante gorjeante y monótono.

Comparación Similar al petirrojo

Dónde se ve Cría en áreas abiertas con vegetación baja o escasa, incluyendo brezales y páramos con aulaga y brezos, anidando en arbustos bajos o en el suelo. En Europa se encuentra en el interior y también en las zonas costeras británicas.

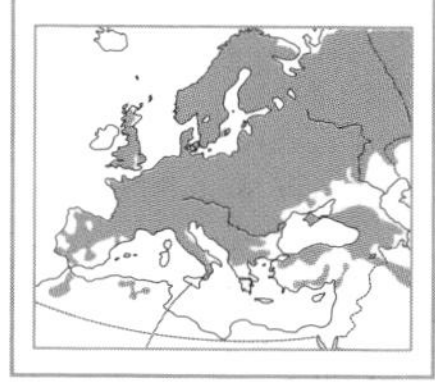

Rechoncho, con cola corta y postura erguida, la tarabilla común se parece más a un petirrojo de cabeza oscura. La cabeza del macho es negra y se observa una característica marca blanca a cada lado del cuello. Las marcas en cada ala parecen manchas donde las alas se unen al cuerpo cuando el ave está volando. La hembra tiene la cabeza marrón con una barra clara poco definida sobre el ojo y un dorso marrón moteado. En invierno, el patrón del plumaje del macho se vuelve menos característico.

La tarabilla común se suele posar en una percha prominente, buscando sus presas de insectos en el suelo y después cae en picado para atraparlas.

El macho parece ser blanco y negro con pecho rojo.

Collalba

En vuelo, el obispillo blanco y la cola negra se pueden ver claramente en ambos sexos.

El macho tiene cabeza y dorso gris azulado, cejas blancas, mancha negra en las mejillas y garganta anaranjada que se mezcla con zona ventral clara.

DATOS

Nombre científico *Oenanthe oenanthe*

Familia Túrdidos

Largo 14-16,5 cm

Nido En oquedades en paredes, entre rocas o madrigueras

Huevos 5-6, azul muy claro, a veces ligeramente moteado

Nidadas 1-2 al año

Alimento Insectos, arañas y pequeños caracoles

Voz La llamada es un silbido o un «chac». El canto suele emitirse desde una percha, como una roca, pero pueden cantar en vuelo. Es un canto explosivo, rápido, duro y alegre.

Comparación Algo más grande que el petirrojo

Dónde se ve Las collalbas son migradoras estivales que llegan a Europa a finales de marzo y abril y la dejan en agosto y septiembre. Durante la migración se pueden ver en todos los tipos de áreas abiertas como pastos, pero crían en páramos, tierras bajas, praderas costeras y zonas de pasto alto con muros de mampostería.

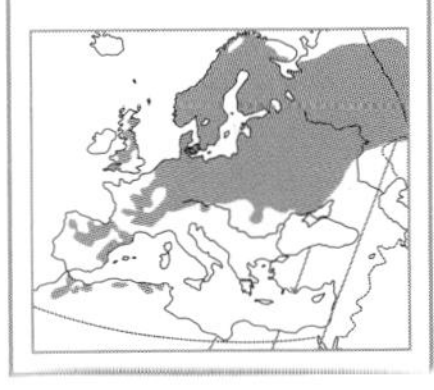

El obispillo blanco y cola corta con punta negra son las características más evidentes de las collalbas de todas las edades cuando vuelan (macho en vuelo arriba a la derecha). Obsérvese la postura bastante erguida y cómo el negro de la cola tiene forma de T invertida. El plumaje barrado produce el efecto de romper su perfil, perfecto como camuflaje entre las rocas en el hábitat abierto donde cria. A comienzos del invierno, ambos sexos parecen hembras.

La hembra tiene dorso marrón grisáceo y sin mancha en las mejillas.

SIMILARES

Camachuelo en vuelo **(p. 94)** Cabeza negra. El ♂ con pecho rojo. Hábitat diferente.

Bisbita pratense (p. 113) Rectrices blancas. Barrado marrón. Sin blanco en obispillo.

Escribano cerillo (p. 96) Rectrices blancas. Cabeza amarilla. Dorso castaño.

Pardillo común (p. 95) Rectrices blancas. Pecho rojo. Cabeza gris.

Pinzón vulgar (pp. 26-27) Rectrices blancas. Barras alares. Pecho rosáceo.

Camachuelo común

El ♂ adulto es compacto con píleo negro, pecho rojo brillante, dorso gris ceniza, alas blanco y negro, obispillo blanco y cola negra.

La ♀ adulta es compacta con píleo negro, pecho marrón grisáceo, dorso gris pardusco, alas blanco y negro, obispillo blanco y cola negra.

DATOS

Nombre científico *Pyrrhula pyrrhula*

Familia Fringílidos

Largo 15,5-17,5 cm

Nido Plataforma de finas ramas en árboles y arbustos

Huevos 4-5, azul pálido, moteado de morado

Nidadas 1-2 al año

Alimento Brotes, semillas

Voz La llamada es un silbido «fiu» bajo y entrecortado. El canto es una mezcla de notas bajas y chillonas con una doble nota «fiu-fiu» insertada.

Comparación Similar al verderón

Dónde se ve Sobre todo residente, cría en gran parte de Europa en bosques, parques, grandes jardines y setos altos.

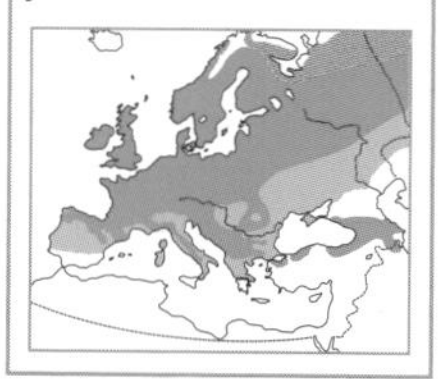

La población de esta atractiva ave se ha reducido, pero todavía se puede ver en zonas boscosas abiertas y en setos. A pesar del plumaje brillante del macho, es un ave muy poco llamativa y pasa desapercibida cuando muestra el obispillo en vuelo. Los camachuelos permanecen en parejas durante todo el año y si se ve un ejemplar de un sexo es probable que la pareja esté cerca. Ambos sexos tienen píleo negro y pico fuerte, y alas y cola de color blanco y negro.

En vuelo, son evidentes el dorso gris, obispillo blanco y la cola negra.

Pardillo común

El ♂ tiene pecho rojo, frente roja, cabeza gris y un dorso marrón liso.

La ♀ tiene el pecho claro, con píleo y dorso barrados en marrón.

DATOS

Nombre científico *Carduelis cannabina*

Familia Fringílidos

Largo 12,5-14 cm

Nido Taza en un arbusto

Huevos 4-6, azul pálido, moteado de rojo

Nidadas 2-3 al año

Alimento Semillas

Voz En vuelo, llamada gorjeante seca, ligeramente nasal y de tono alto. El canto es una mezcla de ruidos y notas silbantes musicales.

Comparación Similar al petirrojo

Dónde se ve Cría en jardines, setos y áreas abiertas de vegetación espesa. Residente en gran parte de Europa, pero es una migradora estival a Escandinavia y este de Europa, moviéndose al sur y este en invierno.

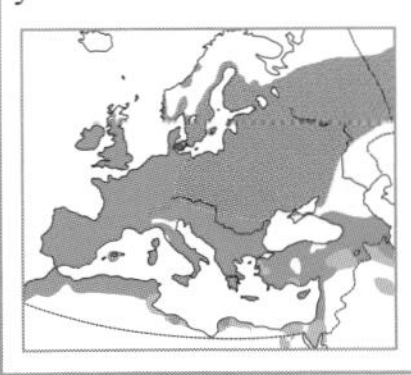

Este incansable pequeño pinzón vuela de arbusto en arbusto a saltos. Durante el verano, las parejas permanecen juntas antes de unirse a otros para formar una bandada que vagabundea durante el invierno por los campos en busca de comida. También se alimentan con otros pinzones y gorriones. Es una especie mucho más común de lo que se pudiera pensar, pero su población está en disminución.

En vuelo, ambos sexos muestran rectrices blancas y pequeñas manchas alares blancas.

SIMILARES

Pinzón vulgar (pp. 26-27) Cabeza gris azulada. Pecho más rosa.

Jilguero (p. 97) Cara roja. Manchas alares amarillo fuerte.

Gorrión común ♀ (pp. 30-31) Más robusto. Barra ocular clara.

Pardillo sizerín (p. 99) Más pequeño y delicado. Pecho marrón a franjas.

Tarabilla común (p. 92) Rechoncho. Más erguido. Cabeza negra.

Escribano cerillo

En verano la ♀ adulta tiene marcas más oscuras en la cabeza y cara, obispillo marrón rojizo y un pecho barrado.

El ♂ adulto en verano tiene cabeza y cara amarilla, zona ventral amarilla, obispillo marrón rojizo, dorso marrón rojizo barrado y pecho con matices marrón rojizos.

DATOS

Nombre científico *Emberiza citrinella*
Familia Emberícidos
Largo 15,5-17cm
Nido Taza en un arbusto o seto bajo
Huevos 3-5, blancos con manchas moradas
Nidadas 2-3 al año
Alimento Semillas, bayas
Voz La llamada es una combinación de notas discordantes. El canto está formado por 5 a 8 notas breves melodiosas.
Comparación Similar al gorrión común
Dónde se ve Cría en granjas con abundantes setos, límites de bosques, brezales y áreas de maleza en toda Europa desde el norte de España a Escandinavia. La mayoría de los escribanos cerillos son residentes, aunque los criadores más norteños se desplazan al sur en invierno.

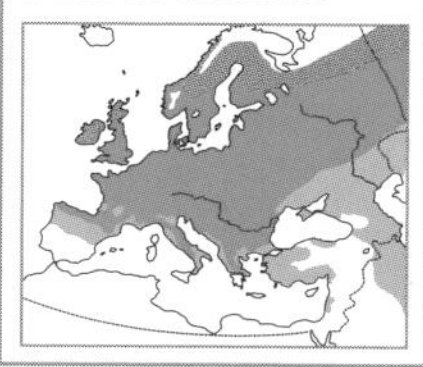

El canto del escribano cerillo macho es muy monótono pero agradable. En España habita sólo en la franja septentrional, más abundante en el interior que en la costa. A pesar de la continua caída de población, que se debe posiblemente a los métodos agrícolas intensivos que causan una carencia de alimentos, todavía sigue siendo un ave muy común en campo abierto y relativamente fácil de ver.

En vuelo, son evidentes las rectrices blancas.

En invierno, los escribanos cerillo se suelen reunir en bandadas con otros hortelanos y pinzones. En invierno, el ♂ es muy parecido a la ♀.

Jilguero

Los juveniles carecen de las marcas calvas en la cara y tienen dorso y pecho estriados, con alas negras y amarillas.

El adulto tiene el pico más largo que otros pinzones, cara roja, mejillas blancas, píleo y nuca negros con alas amarillas y negras.

Los jilgueros vuelan en grupos familiares hasta que forman bandadas más grandes en invierno, en busca de comida en el campo y alimentándose de cardos y abrojos.

Aunque es un ave muy común, su población está en declive en algunas zonas, quizá debido a las continuas capturas como ave de jaula o al creciente uso de herbicidas en los campos. Es muy destacado el paso de bandadas de jilgueros en primavera.

En vuelo, las manchas amarillo brillante sobre las alas negras destacan en el obispillo blanco y cola negra con marcas blancas.

DATOS

Nombre científico *Carduelis carduelis*

Familia Fringílidos

Largo 12-13,5 cm

Nido Taza de plumas y musgo en la copa de los árboles

Huevos 4-7, con manchas oscuras

Nidadas 2 al año

Alimento Semillas, sobre todo cardos y abrojos

Voz Llamada entrecortada de tres sílabas. El canto es suave y gorjeante.

Comparación Similar al petirrojo

Dónde se ve Se encuentra en toda Europa. La mayoría de las poblaciones son residentes, pero los criadores del este y del norte migran al suroeste en otoño. Cría en jardines, límites de los bosques, huertos y matorrales.

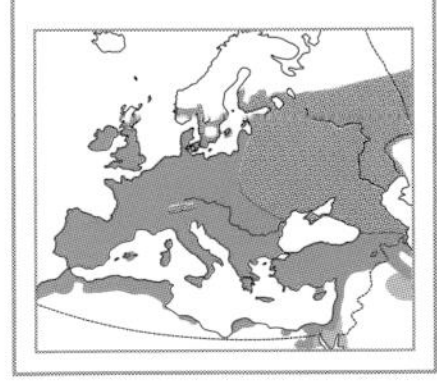

SIMILARES

Verderón ♂ (pp. 28-29) Rechoncho. Manchas alares amarillas no extensas.

Pardillo común ♂ (p. 95) Sin amarillo. Cabeza gris.

Escribano triguero (p. 101) Cuerpo bajo y fornido. Sin amarillo.

Escribano palustre ♂ (p. 100) Marcas faciales oscuras. Sin amarillo.

Lúgano

La ♀ carece del negro en la cabeza y garganta y del amarillo en la cabeza.

El ♂ adulto tiene el dorso verde con barras negras, píleo y garganta negros, pecho amarillo verdoso y amarillo en la cabeza, zona ventral clara y barra alar amarilla.

DATOS

Nombre científico *Carduelis spinus*

Familia Fringílidos

Largo 11-12,5 cm

Nido Taza en lo alto de coníferas

Huevos 3-5, azul pálido, moteado de rojo

Nidadas 2 al año

Alimento Semillas de piceas, abedules y alisos

Voz Dos llamadas de dos sílabas, una con una segunda nota ascendente y otra con una segunda nota descendente: «ti-su» y «tu-i». Canto de notas gorjeantes y trinos.

Comparación Similar al herrerillo ciáneo

Dónde se ve Cría en coníferas y bosques mixtos, sobre todo piceas, en este de Europa y Escandinavia y en bosques de tierras altas.

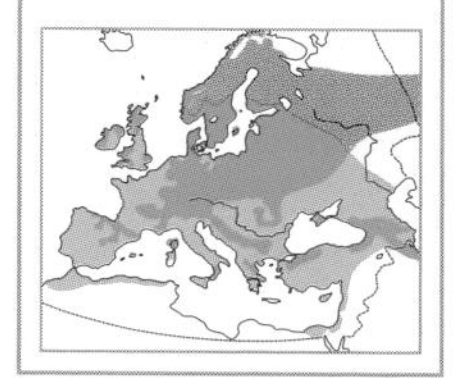

El rango de esta ave parece haberse extendido más al sur gracias al aumento de los comederos en los jardines en invierno. Los cacahuetes y las semillas de girasol dentro de redes rojas en las mesas para aves atraen a estos lúganos. No son mucho más grandes que los herrerillos ciáneos y son casi tan ágiles cuando se alimentan en los extremos de las ramas, en particular de píceas, alisos y abedules.

En vuelo, las barras alares amarillas contrastan con las alas oscuras.

Bandadas de lúganos, con frecuencia en compañía de pardillos sizerín, se alimentan de las semillas de los alisos.

Pardillo sizerín

En el plumaje de primavera, el ♂ muestra en el pecho un tono rojo rosáceo; cejas claras, frente roja, dorso marrón con bandas oscuras y una diminuta pechera negra (el rojo del pecho es menos visible en invierno).

La ♀ es similar al ♂, pero sin pecho rojo rosáceo.

DATOS

Nombre científico *Carduelis flammea*
Familia Fringílidos
Largo 11,5-14 cm
Nido Taza en árbol
Huevos 4-5, azul claro con motas rojizas
Nidadas 1-2 al año
Alimento Semillas (sobre todo de alisos)
Voz La llamada en vuelo es un «chet-chet-chet» metálico chillón. Canta en vuelo, una serie de llamadas metálicas que se mezclan con un seco «serrrrr» entrecortado.
Comparación Similar al herrerillo ciáneo
Dónde se ve Cría en bosques de alisos, coníferas jóvenes y bosquecillos densos en áreas abiertas como brezales. Cría en Escandinavia, islas Británicas y en Europa central. Visitante invernal en el resto de Europa.

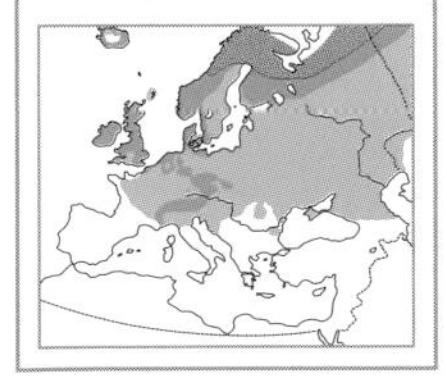

En invierno, este pequeño pinzón inquieto forma bandadas que rara vez permanecen en un lugar durante mucho tiempo. Se alimentan en lo alto de los árboles, pero cada vez más están acudiendo a las mesas para aves. Cuando se alimenta de las semillas en los árboles, se cuelga cabeza abajo de forma parecida a los herrerillos, con frecuencia en compañía de lúganos. La población ha descendido de manera espectacular.

En vuelo, se pueden ver barras alares blanquecinas y bastante estrechas.

SIMILARES

Pardillo común ♀ (p. 95) Más grande. Cola más larga.

Verderón ♂ (pp. 28-29) Más grande. Menos verde que el lúgano ♂ y más verde que la ♀.

Escribano cerillo ♂ (p. 96) Sin verde. Más grande que el lúgano y el pardillo sizerín. Cola más larga.

Pardillo común ♂ (p. 95) Más grande. Menos estriado y con más rojo que el pardillo sizerín. Cola más larga.

Herrerillo común (pp. 32-33) Mucho más amarillo que el lúgano.

Escribano palustre

En verano, la ♀ tiene cabeza oscura, banda ocular parda, pecho barrado y una bigotera blanca (sin collar blanco).

El ♂ en verano tiene cabeza negra, pechera negra, una bigotera blanca que se une al collar blanco en torno a la nuca, obispillo gris y estriaciones claras en el dorso.

La población de los escribanos palustres se ha reducido en los últimos años. En primavera el canto sencillo del macho se escucha cerca de las vías de agua dulce, cuando se posa en los arbustos y juntos. Su vuelo es desordenado, desigual y busca cobijo con rapidez. Fuera de la época de reproducción, se puede ver alimentándose en campos con otros escribanos y pinzones, y a veces se puede aventurar en jardines en busca de alimento.

En invierno, el ♂ pierde el negro de la cabeza y la bigotera blanca y el collar se vuelve menos definido.

DATOS

Nombre científico *Emberiza schoeniclus*
Familia Embericidos
Largo 13,5-15,5 cm
Nido Taza de hierbas en o cerca del suelo
Huevos 4-5, gris claro con marcas negras
Nidadas 2-3 al año
Alimento Semillas
Voz «Si-iu» de tono alto con una sílaba final arrastrada. El canto consta de varias notas simples que terminan deprisa.
Comparación Similar al gorrión común
Dónde se ve Cría en toda Europa. Los criadores del norte y del este se desplazan al sur en invierno. Anida en juncales y en torno a lagos y grandes ríos. Es frecuente en los terrenos de cultivo de Europa y de muchas partes de Asia. En invierno, los escribanos palustres se pueden alejar del agua para alimentarse en las mesas para aves de los jardines.

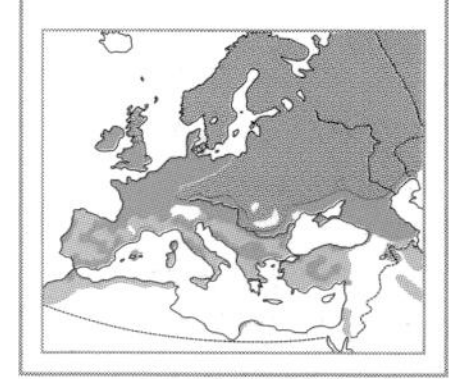

Escribano triguero

Obsérvese cómo los bordes serrados se pueden ver cuando el pico está abierto.

En vuelo, que es bastante lento y pesado, las patas cuelgan.

Es el más rechoncho de los escribanos y en el pasado fue mucho más común, pero su población se ha reducido en Europa desde la década de 1960. Cuando el macho está posado y canta, el obispillo a veces puede ser muy prominente. Un examen de cerca muestra que el escribano triguero tiene bordes serrados en el pico, lo que le sirve para descascarillar semillas.

El adulto carece de características definidas, salvo su forma voluminosa y pico fuerte.

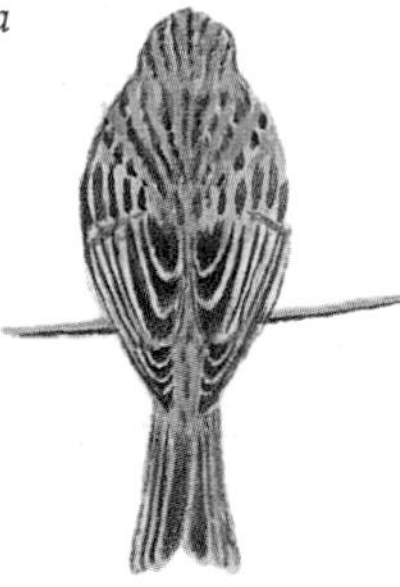

DATOS

Nombre científico *Miliaria calandra*

Familia Emberícidos

Largo 16-19 cm

Nido Taza de material vegetal en el suelo o arbusto

Huevos 4-6, blancos, moteados con gris

Nidadas 1-2 al año

Alimento Semillas, bayas

Voz Su llamada es un agudo y metálico «tsritt», y el canto es un tintineo breve y repetitivo, emitido desde un poste o sobre un seto.

Comparación Algo más pequeño que la alondra.

Dónde se ve Cría en terrenos de cultivo abiertos donde hay árboles aislados, arbustos o incluso postes desde los que puede cantar. En la mayoría de los lugares es residente.

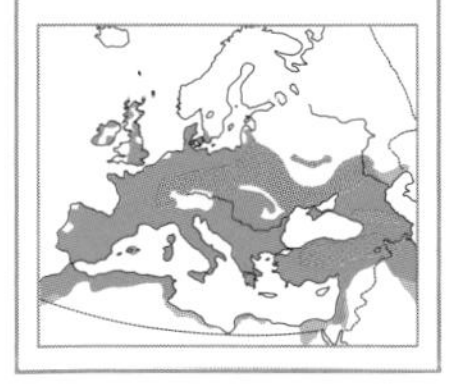

SIMILARES

Gorrión común ♂ (pp. 30-31) Gris en cabeza. Negro más difuminado.

Gorrión común ♀ (pp. 30-31) Banda ocular parda. Con forma característica.

Escribano cerillo ♀ (p. 96) Menos rechoncho que el triguero. Tono amarillo. Obispillo castaño.

Carricerín común

El adulto muestra el píleo oscuro que contrasta con cejas claras bien definidas, listas en el dorso y frente baja.

DATOS

Nombre científico *Acrocephalus schoenobaenus*

Familia Sílvidos

Largo 11,5-13 cm

Nido Taza en el suelo, o cerca de él

Huevos 5-6, verde claro con motas pardas

Nidadas 1 al año

Alimento Insectos

Voz Llamada «chek» aguda. El canto, con frecuencia emitido en vuelo, es una cascada no muy afinada de gorjeos y silbidos.

Comparación Algo más pequeño que el petirrojo

Dónde se ve Es un migrador parcial y se suele avistar en la península Ibérica en su ruta migratoria hacia África, en septiembre. Cría en el norte de Europa en la densa vegetación de las áreas palustres, bancos de ríos y juncales con abundante vegetación, donde haya arbustos y otras plantas.

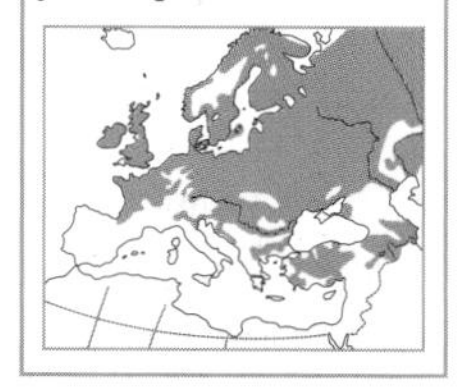

La frente baja con el píleo negro y banda parda superciliar, junto con las listas oscuras en el dorso, dan al carricerín común un aspecto bastante elegante y aerodinámico. En sus hábitats palustres es un ave de cría común. Anida en las zonas más secas de las marismas y bancos de ríos, donde hay abundancia de vegetación.

En vuelo, el obispillo parece de color marrón amarillento.

Carricero común

El carricero común es ágil y se posa horizontalmente en los tallos verticales de los juncos.

Tiene la frente muy plana, dorso marrón y zona ventral pardo claro.

Es una de las especies que suelen ser elegidas como huéspedes por el cuco para sus huevos. El joven cuco crece tanto que cuando está ya listo para volar le queda muy pequeño el delicado nido del carricero común, formado entre los tallos de los juncos. El carricero común es un ave discreta, con colores sutiles.

El canto se emite desde una percha alta en un tallo de junco.

DATOS

Nombre científico *Acrocephalus scirpaceus*

Familia Sílvidos

Largo 12,5-14 cm

Nido Taza de hierba tejida entre tallos vegetales.

Huevos 4-7, verde claro con manchas color oliva

Nidadas 1 al año

Alimento Insectos

Voz La llamada es un corto «che», no muy destacable. El canto es bastante nervioso, repetido dos o tres veces y entremezclado con silbidos.

Comparación Similar al petirrojo.

Dónde se ve La distribución de cría del carricero común es más meridional que el de su pariente el carricerín común, extendiéndose del Mediterráneo al sur de Escandinavia, incluyendo las islas Británicas. Cría en los juncales. Migrador estival, de mediados de abril a septiembre. Inverna en el África subsahariana.

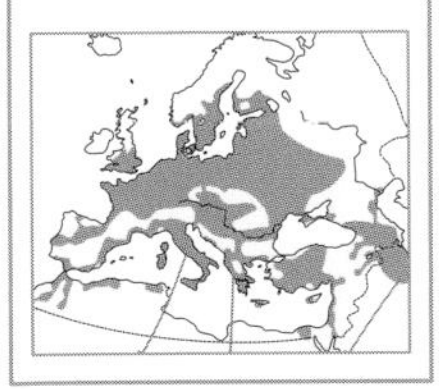

SIMILARES

Mosquitero musical (p. 110) Bastante verde grisáceo. Más pequeño. Sin estriaciones. Cabeza redondeada.

Escribano palustre ♀ (p. 100) «Mostacho» blanco. Pico grueso. Cuerpo y cola larga.

Mosquitero común (p. 111) Verde oliva. Más pequeño. Cabeza más redondeada.

Curruca mosquitera (p. 108) Marrón. Más redonda. Sin banda ocular. En hábitats secos.

Carbonero común

Los juveniles tienen mejillas amarillas.

El ♂ tiene pecho amarillo con banda negra, más amplia hacia la zona ventral, mejillas blancas y píleo negro.

En vuelo tiene puntas blancas en la cola y pequeñas barras blancas en las alas.

DATOS

Nombre científico *Parus major*

Familia Páridos

Largo 13,5-15 cm

Nido Taza de plumas en un hueco o caja de anidación

Huevos 8-13, blanco con manchas rojas

Nidadas por lo general 1 al año

Alimento Insectos, semillas

Voz Amplia gama de llamadas, incluyendo «ticher-ticher-ticher» y «che-che-che-che-che» repetitivos. Canto simple con notas ascendentes y descendentes.

Comparación Similar al petirrojo

Dónde se ve Desde el norte de África a Escandinavia y por toda Europa en zonas boscosas y en parques, jardines y huertos.

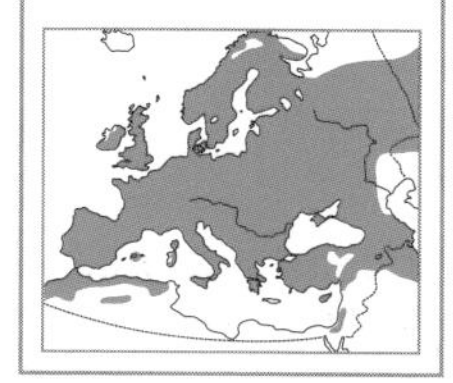

Este visitante de los jardines es un ave de áreas boscosas, cuya puesta de huevos está regida por la disponibilidad de los capullos de los que se alimentan las crías. En otoño e invierno, los carboneros se desplazan a los jardines en grandes cantidades en busca de alimento. En invierno, busca semillas e invertebrados debajo de las hojas caídas y junto a los árboles.

La ♀ tiene una coloración similar al ♂, pero con banda negra menos definida.

Carbonero garrapinos

El adulto tiene el píleo negro, mancha blanca en la nuca, dos barras alares, cara blanca y pecho marrón (sin amarillo).

El juvenil (derecho) tiene pecho y cara amarillentos durante unas pocas semanas.

Aunque carece de los matices amarillentos de los herrerillos azules o herrerillos ciáneos, el carbonero garrapinos es un ave pequeña, erguida y atractiva. La cabeza es grande y eleva una pequeña cresta cuando está nervioso. Tiene un pico muy fino con el que extrae insectos de las agujas de los pinos.

El carbonero garrapinos suele volar en bandadas con otros herrerillos, como herrerillos comunes y mitos.

DATOS

Nombre científico *Parus ater*
Familia Páridos
Largo 10-11,5 cm
Nido Taza en un hueco
Huevos 7-9, blanco, moteados de rojo
Nidadas 2 al año
Alimento Insectos, semillas
Voz Claras llamadas «zi-zi-zi» y llamadas de dos sílabas repetidas. El canto es muy rápido y parecido al del Carbonero común.
Comparación Similar al herrerillo ciáneo
Dónde se ve Sobre todo como criador en los bosques de coníferas europeos, pero en otoño se dispersa y se le puede avistar en jardines.

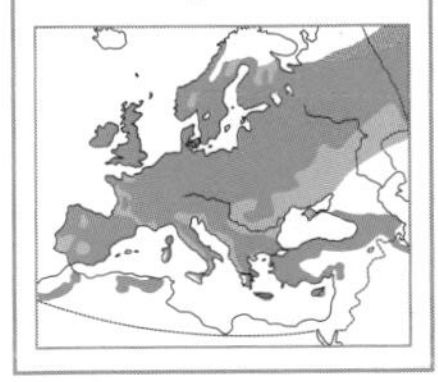

SIMILARES

Herrerillo común **(pp. 32-33)** Pequeño. Píleo azul. Barra ocular negra.

Curruca capirotada ♂ **(p. 109)** Forma más esbelta. Píleo negro. Frente alta.

Curruca capirotada ♀ **(p. 109)** Píleo marrón.

Mito

Ninguna otra ave pequeña tiene una cola tan larga, que utiliza para mantener el equilibrio cuando se alimenta en las ramas.

En vuelo, las alas cortas, cola larga y cuerpo redondo no son como otras especies. El vuelo es suavemente ondulante.

DATOS

Nombre científico *Aegithalos caudatus*

Familia Aegitálidos

Largo 13-15 cm (incl. cola de 7-9 cm)

Nido Cúpula de plumas, musgo y líquenes en un arbusto

Huevos 8-12, blanco

Nidadas 1-2 al año

Alimento Insectos, semillas

Voz Agudas llamadas de contacto trisilábicas en las bandadas. El canto, que es un gorjeo bajo, apenas se escucha.

Comparación Similar al chochín, pero con cola mucho más larga

Dónde se ve Cría por toda Europa desde el sur de España al sur de Escandinavia, en áreas boscosas donde hay abundancia de sotobosque. Reside, principalmente, pero a finales de verano los mitos comienzan a desplazarse por el campo en bandadas.

Durante la mayor parte del año se pueden ver grupos familiares de mitos fuera de la época de reproducción. Estas bandadas son muy compactas y se desplazan con rapidez por bosques, jardines y setos en busca de comida. El comportamiento de estas aves cuando se están alimentando es muy inquieto, pues buscan sin cesar diminutos insectos y apenas están en los sitios durante mucho tiempo.

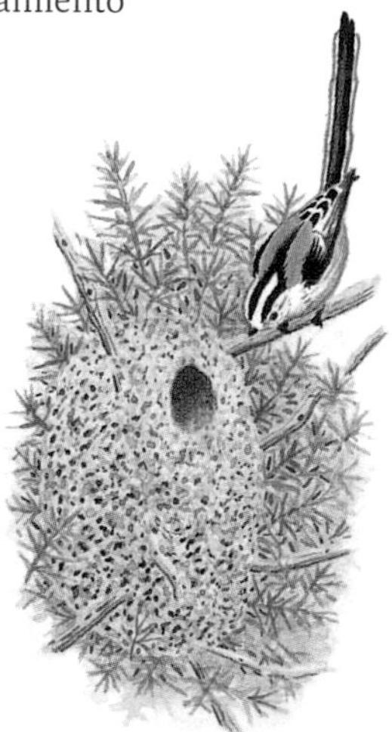

El laborioso nido en forma de cúpula se cubre con líquenes, con lo que resulta difícil de ver. Se prepara con musgo aglutinado con telas de araña y revestido de plumas.

Reyezuelo sencillo

La ♀ muestra la cresta amarilla, anillo ocular blanco, una pequeña barra alar y pico muy fino.

El ♂ tiene cresta naranja, anillo ocular blanco, una pequeña barra alar y pico muy fino.

DATOS

Nombre científico *Regulus regulus*

Familia Sílvidos

Largo 8,5-9,5 cm

Nido Taza de plumas y musgo en la cima de los árboles

Huevos 7-10, blanco, moteado de marrón

Nidadas 2 al año

Alimento Insectos

Voz Llamada «zi-zi-zi-zi» trisilábica, de tono agudo, fina y repetitiva. El canto es similar, pero finaliza en un floreo.

Comparación Similar al chochín.

Dónde se ve Cría en bosques de coníferas y mixtos, donde elige coníferas como tejos, piceas y abetos. En su mayor parte residente.

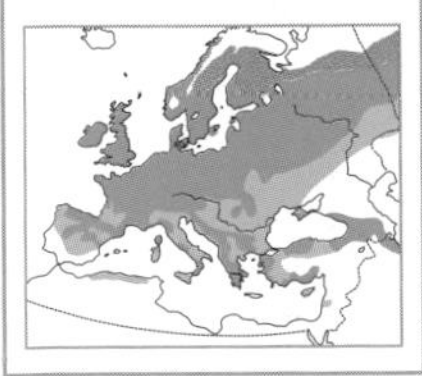

El diminuto reyezuelo es la más pequeña de las especies europeas. Su presencia suele revelarse por su llamada de tono agudo cuando se alimenta de insectos en las coníferas. Su diminuto nido en forma de taza se construye hacia el extremo de la rama. En invierno suele verse con bandadas de carboneros y herrerillos.

Los reyezuelos sencillos se alimentan en la zona alta del dosel atrapando insectos de las agujas y ramas de las coníferas.

SIMILARES

Mosquitero musical (p. 110) Más grande que el reyezuelo sencillo. Sin naranja o amarillo en la cresta.

Mosquitero común (p. 111) Más grande. Sin amarillo en la cresta.

Chochín común (pp. 34-35) Ligeramente más grande. Rechoncho.

Herrerillo común (pp. 32-33) Rechoncho. Pico más grueso.

Carbonero garrapinos (p. 105) Rechoncho. Cabeza grande.

Curruca mosquitera

Esta pequeña ave es básicamente marrón, pero con zona ventral clara, color hueso debajo del obispillo, una mancha gris en el lado del cuello, patas y pico gruesos.

DATOS

Nombre científico *Sylvia borin*

Familia Sílvidos

Largo 13-14,5 cm

Nido Taza en un arbusto

Huevos 4-5, blanco, moteado de marrón

Nidadas 2 al año

Alimento Insectos, bayas

Voz La llamada es una serie de chasqueos «chek, chek, chek, chek», que se vuelven más rápidos a medida que el carricero se muestra agitado. El canto dura de 3 a 8 segundos, con una sucesión de notas profundas, que varían en tono hasta el punto que se han descrito como un «arroyo ondulado».

Comparación Similar al petirrojo

Dónde se ve Este migrador estival cría del norte de España a Escandinavia e inverna en África. Su hábitat de reproducción son los bosques con claros, parques y grandes jardines con abundancia de vegetación.

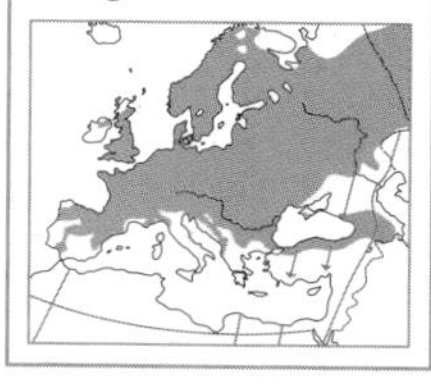

La curruca mosquitera no llama la atención de manera exagerada, ya que su plumaje pardo liso es muy discreto. Tampoco muestra ningún rasgo destacable y cría en jardines grandes. No es fácil avistar a la curruca mosquitera debido a su naturaleza poco llamativa y se escucha con más frecuencia que se ve. Es un ave pequeña y robusta y es más gruesa que otras muchas currucas. Cría en áreas boscosas donde hay claros con abundancia de arbustos.

Curruca capirotada

El ♂ tiene plumaje grisáceo y píleo negro que no se extiende a la nuca.

Las currucas capirotadas se alimentan de bayas en otoño.

DATOS

Nombre científico *Sylvia atricapilla*

Familia Sílvidos

Largo 13,5-15 cm

Nido Taza en un arbusto

Huevos 5, blanco, moteado de rojo

Nidadas 2 al año

Alimento Insectos, bayas

Voz «Tek» duro y agudo, que se repite cuando el ave se alarma. El canto comienza en una forma bastante insegura, similar al de la curruca mosquitera, pero se vuelve más claro y aflautado.

Comparación Similar al petirrojo

Dónde se ve El sotobosque denso de bosques, parques y grandes jardines ofrecen las condiciones idóneas para que se reproduzcan. En invierno visita las mesas para aves. Cría en toda Europa, desde España al sur de Escandinavia. Visitante estival en el norte y este, pero migrador de distancias cortas o residente en otras partes.

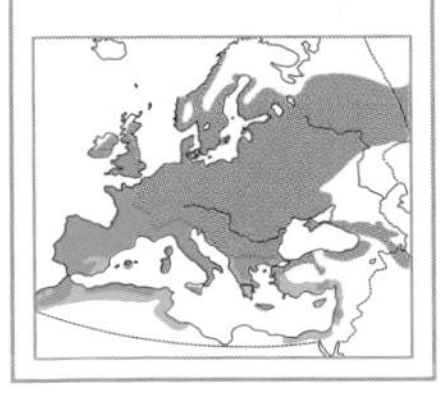

Los inviernos más cálidos y las mesas para aves de los jardines han modificado sus hábitos en Europa: en el último cuarto del siglo XX se han visto con más frecuencia en jardines durante el invierno. En menos de un cuarto de siglo, ha pasado de ser un migrador estival a residente en algunas partes de Europa, lo que muestra cómo el comportamiento de las aves puede evolucionar con rapidez. Es menos llamativo que la curruca mosquitera, su pariente cercano.

La ♀ tiene dorso marrón grisáceo, zona ventral marrón clara y píleo marrón rojizo.

SIMILARES

Mosquitero musical (p. 110) Sin píleo. Verdoso. Franja ocular.

Curruca zarcera (p. 112) Cabeza gris. Garganta blanca. Dorso marrón.

Mosquitero común (p. 111) Sin píleo. Verdoso. Franja ocular.

Acentor común (p. 88) Barrado gris y marrón.

Carbonero garrapinos (p. 105) Píleo negro. Mancha blanca en la nuca. Contraste entre dorso gris y zona ventral clara.

Mosquitero musical

El adulto tiene cabeza y dorso oliva, cejas bien definidas y patas claras.

DATOS
Nombre científico *Phylloscopus trochilus*
Familia Sílvidos
Largo 11-12,5 cm
Nido Con forma de cúpula en el suelo
Huevos 6-7, blanco con motas rojas
Nidadas 1-2 al año
Alimento Insectos
Voz Llamada suave de dos sílabas «huitt». El canto es un silbido suave y dulce descendente de tres segundos que se repite con frecuencia.
Comparación Algo más grande que el herrerillo común
Dónde se ve Anida en todo tipo de bosques, jardines, parques y bosquecillos. Es un migrador estival de abril a septiembre, cuando se desplaza al sur, al África tropical.

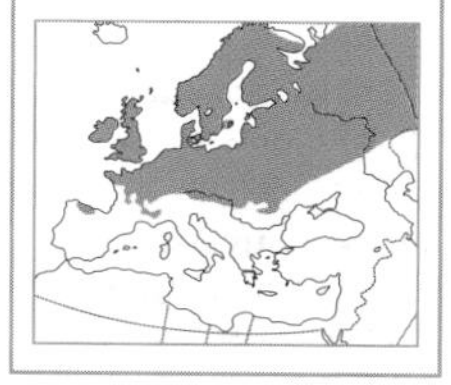

Los mosquiteros musicales y los mosquiteros comunes son especies muy similares, que pertenecen al género de los mosquiteros conocidos como «de hojas» debido a su hábito de alimentarse de insectos en la parte alta de los árboles. Ambas especies anidan en el suelo. Las voces de las dos especies son muy características, pero sólo un observador experimentado puede distinguirlos. El canto del mosquitero musical es una serie de notas descendentes y su llamada es un suave «huitt».

Los jóvenes muestran el pecho amarillo en otoño.

Mosquitero común

Las cejas cortas son menos definidas que en los mosquiteros musicales.

El adulto tiene dorso verde grisáceo, pardusco con zona ventral blanca, patas oscuras y cejas cortas menos definidas que en el mosquitero musical.

DATOS

Nombre científico *Phylloscopus collybita*

Familia Sílvidos

Largo 10-12 cm

Nido Cúpula en el suelo

Huevos 4-9, blanco con motas moradas

Nidadas 1-2 al año

Alimento Insectos

Voz La llamada es un silbido «huitt» suave y arrastrado ascendente. El canto es un «chif-chaf» lento y repetido.

Comparación Algo más grande que el petirrojo

Dónde se ve Cría en bosques abiertos con altas caducifolias y alguna capa de arbustos. La mayoría de los mosquiteros que se ven son aves estivales, que invernan en el sur del Mediterráneo y en el sur del Sáhara. Algunos mosquiteros comunes que crían en Escandinavia pueden invernar en las islas Británicas.

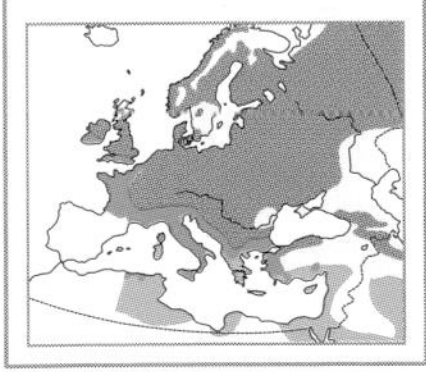

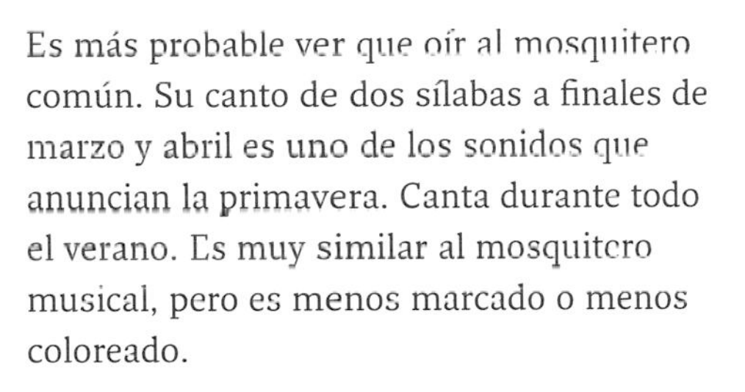

Es más probable ver que oír al mosquitero común. Su canto de dos sílabas a finales de marzo y abril es uno de los sonidos que anuncian la primavera. Canta durante todo el verano. Es muy similar al mosquitero musical, pero es menos marcado o menos coloreado.

Los mosquiteros comunes se alimentan de insectos en el suelo y en las hojas.

SIMILARES

Reyezuelo sencillo (p. 107) Diminuto. Cresta naranja y amarilla.

Chochín común (pp. 34-35) Diminuto. Cola pequeña y gruesa. Postura vivaz.

Curruca mosquitera (p. 108) Más grande. Marrón.

Curruca zarcera (p. 112) Cabeza gris. Garganta blanca. Dorso marrón.

Curruca zarcera

En vuelo, las rectrices blancas se pueden ver claramente.

DATOS
Nombre científico *Sylvia communis*
Familia Sílvidos
Largo 13-15 cm
Nido Taza en un arbusto, cerca del suelo
Huevos 4-5, azul claro con motas olivas
Nidadas 2 al año
Alimento Insectos, bayas
Voz La llamada es un ronco «tac, tac» y emite desde una percha un breve, rápido, y repetido sonido, bastante áspero. Cuando canta en vuelo, su sonido se vuelve más fluido.
Comparación Similar al petirrojo
Dónde se ve Es un visitante estival que llega a Europa en mayo y parte en agosto. Cría en arbustos, terrenos de cultivo, setos y áreas boscosas abiertas. Inverna en el sur del Sáhara.

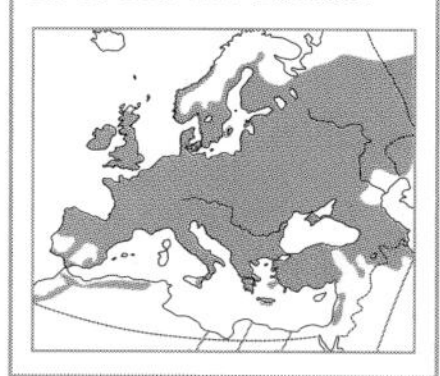

El ♂ tiene cabeza gris, garganta blanca, pecho pardo, alas rojizas, larga cola con rectrices blancas y patas parduscas.

Aunque no demasiado colorido, la curruca zarcera macho es uno de los mosquiteros con un patrón más llamativo. El suave gris de la cabeza se mezcla con el dorso marrón y contrasta con la garganta blanca. Es un ave pequeña y rechoncha que parece moverse con más torpeza que sus parientes más pequeños. Con frecuencia elige una percha en lo alto de un arbusto, desde donde canta, pero también canta en vuelo.

La ♀ tiene cabeza marrón, pecho pardo, alas rojizas, larga cola con rectrices blancas y patas parduscas.

Bisbita pratense

Obsérvese la larga garra trasera ligeramente curvada.

La bisbita pratense pasa gran parte de su vida en el suelo, pero se posa en vallas, postes y árboles aislados.

DATOS

Nombre científico *Anthus pratensis*
Familia Motacílidos
Largo 14-15,5 cm
Nido Taza en el suelo
Huevos 3-5, con fondo variable y moteado marrón
Nidadas 2 al año
Alimento Insectos, semillas
Voz La llamada en vuelo es un «ist-ist-ist» fino y agudo. El canto emitido en vuelo consta de una serie de notas repetidas con rapidez que cambia varias veces.
Comparación Más pequeño que la alondra
Dónde se ve Cría en campo abierto, incluidos pantanos, brezales, pastos y ciénagas. En la península Ibérica es común en los pasos otoñal y primaveral, y sobre todo en invierno, hacia zonas húmedas.

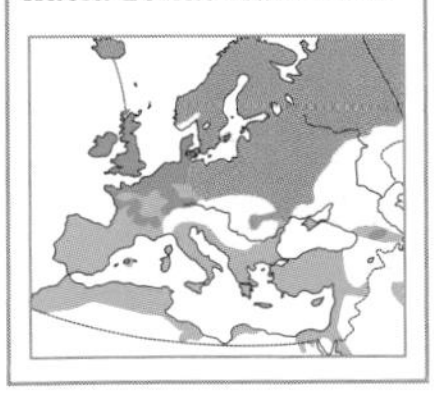

Pequeña, marrón y que pasa fácilmente desaparcibida, la bisbita pratense es una de las aves más comunes de Europa. Es un ave de campo abierto, avistada con frecuencia en grupos pequeños e identificada por su llamada característica. Recuerda mucho a la alondra, pero es más pequeña y carece de cresta. Su vuelo parece bastante débil al principio, pero es suavemente ondulante una vez está en ruta.

Las rectrices blancas se muestran en vuelo.

SIMILARES

Alondra común (pp. 36-37) Más grande y robusta. Cresta ligera Alas más anchas.

Curruca capirotada ♀ (p. 109) Píleo marrón. Sin franjas.

Acentor común (p. 88) Cara gris. Marrón más oscuro y gris. Barrado.

Curruca mosquitera (p. 108) Garganta clara. Sin franjas.

Escribano triguero (p. 101) Robusto. Pico grueso.

Lavandera cascadeña

El ♂ tiene pecho amarillo, dorso gris azulado, obispillo amarillo, garganta negra y una banda ocular y bigotera blancas.

La ♀ tiene un patrón similar al del ♂, pero es más clara.

DATOS

Nombre científico *Motacilla cinerea*
Familia Motacílidos
Largo 17-20 cm
Nido Taza en un agujero cerca del agua
Huevos 4-6, pardo con moteado grisáceo
Nidadas 1 al año
Alimento Insectos
Voz Versión más aguda y fuerte de la llamada de la lavandera blanca. El canto es una serie de breves notas «ziss».
Comparación Similar a la lavandera blanca
Dónde se ve Se encuentra cerca de las corrientes de agua y en estanques y esclusas en ríos más lentos. Es un ave residente en la península Ibérica, pero se puede reunir en invierno con migradoras de Europa.

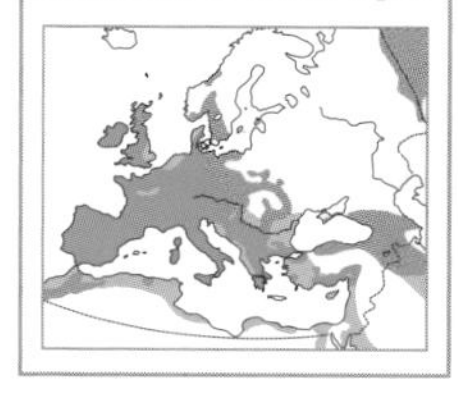

Es la más elegante de las tres lavanderas que crían en Europa. Es vistosa y grácil y casi siempre está asociada al agua. Cría en la proximidad de las corrientes de agua, cerca de molinos y en torno a presas, pero ocasionalmente visita jardines con grandes estanques en otoño o invierno. La cola es más larga que la del resto de las lavanderas europeas.

En vuelo, la lavandera cascadeña muestra un obispillo verde amarillento, cola larga con rectrices blancas y características barras alares blancas.

Lavandera boyera

El ♂ tiene cara amarilla, pecho amarillo sulfuroso, dorso verdoso y una larga cola que mueve arriba y abajo.

DATOS

Nombre científico *Motacilla flava*
Familia Motacílidos
Largo 15-16 cm
Nido Taza hundida en el suelo
Huevos 5-6, verdoso moteados en marrón
Nidadas 1-2 al año
Alimento Insectos
Voz La llamada es un agudo «si-ip». El canto es de apenas dos notas bastante ásperas.
Comparación Algo más pequeña que la lavandera blanca.
Dónde se ve Cría en toda Europa. Son aves de humedales y de otras áreas húmedas, como los bordes de charcas y en plantas de tratamientos de aguas residuales. La lavanera boyera de cabeza amarilla es una raza que aparece en verano para reproducirse. Se puede avistar de abril a septiembre e inverna en África.

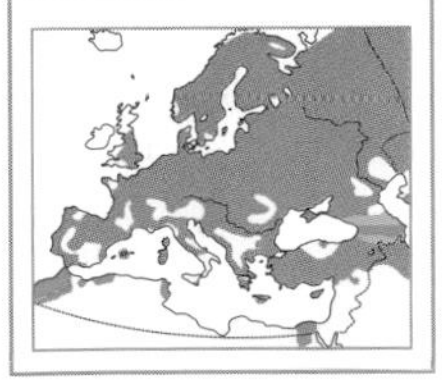

Una vez muy común en los humedales, alimentándose entre el ganado y anidando en la hierba, actualmente la población de lavanderas boyeras ha disminuido a medida que su hábitat húmedo se ha vuelto más seco. Su alimento de insectos ha descendido en el último cuarto del siglo XX debido a cambios en las prácticas agrícolas. En toda Europa hay varias razas de esta especie; se pueden identificar por los distintos colores y patrones de la cabeza.

La ♀ tiene cara más oscura, dorso verde amarillento y larga cola que mueve arriba y abajo.

SIMILARES

Lavandera blanca ♀ (pp. 38-39) Coloración grisácea. Sin amarillo.

Lavandera blanca ♂ (pp. 38-39) Negra, blanca y gris. Sin amarillo.

Escribano cerillo ♂ (p. 96) Plumaje barrado. Forma más rechoncha. Postura más erguida.

Martín pescador común

La ♀ tiene una base roja en la mandíbula inferior.

El ♂ tiene pico negro, dorso azul turquesa que contrasta con las alas y cabeza verde azuladas, pecho anaranjado, mejillas naranjas y garganta blanca.

El juvenil tiene una punta clara en el pico.

DATOS

Nombre científico *Alcedo atthis*
Familia Alcedínidos
Largo 17-19,5 cm
Envergadura 24-26 cm
Nido Madriguera en las riberas de los ríos
Huevos 6-7, blanco
Nidadas 2 al año
Alimento Pececillos
Voz La llamada es un agudo «zii» silbado.
Comparación Algo más pequeño que el estornino
Dónde se ve Cría al sur desde el sur de Suecia. Las poblaciones de Europa oriental se desplazan al sur y al oeste en otoño. Algunos criadores del Mediterráneo se desplazan a las costas en invierno. Se alimenta en ríos de corrientes lentas y a veces en lagos. Raramente se avistan lejos del agua.

Esta ave de espléndidos colores recuerda al estornino, pero puede ser sumamente difícil de avistar cuando está posada en un árbol con hojas marrones, porque el color del pecho le sirve de camuflaje. Su llamada, parecida a un silbido, suele ser el primer indicio de su presencia, antes de que se pueda avistar el obispillo azul turquesa en su vuelo rápido y directo sobre el agua.

Los martín pescadores vuelan a toda velocidad y muy bajo sobre el agua. Capturan los peces después de zambullirse desde una percha o de planear sobre el agua.

Vencejo común

El vencejo es marrón oscuro con largas alas en forma de luna creciente.

Los vencejos suelen volar en bandadas compactas, elevándose para alimentarse de insectos en vuelo.

DATOS

Nombre científico *Apus apus*
Familia Apódidos
Largo 16-18 cm
Envergadura 40-44 cm
Nido Pila de material vegetal en edificios
Huevos 3, blanco
Nidadas 1 al año
Alimento Insectos en vuelo
Voz Llamada estridente y chillona, que a menudo realiza a coro con otras aves con las que vuela en bandadas compactas sobre los tejados.
Comparación Más pequeño que el estornino (mayor envergadura) y más grande que la golondrina
Dónde se ve Crían en toda Europa. Residentes estivales que llegan en mayo y parten en agosto para invernar en el sur de África.

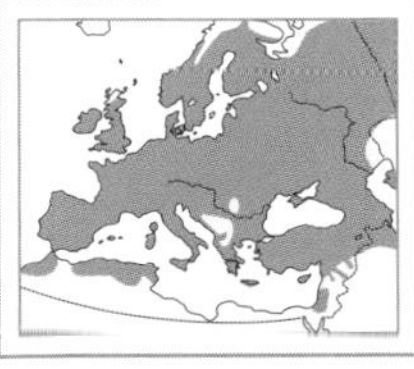

El aire es el verdadero elemento del vencejo, que sólo toma tierra para anidar. Las patas son tan débiles que no puede tomar impulso desde una superficie plana. Por el contrario, se deja caer desde su lugar de anidación, en lo alto de los edificios, para no tener que elevarse. Sin embargo, una vez en el aire, su vuelo es rápido y directo. La alimentación, sueño y apareamiento entre los vencejos tienen lugar en el aire.

Los aleros y tejados proporcionan al vencejo lugares para anidar.

SIMILARES

Golondrina común **(pp. 44-45)** Dorso y alas azul metalizado. Rectrices más largas.

Avión común **(p. 118)** Obispillo blanco. Cola ahorquillada. Dorso y alas azul oscuro.

Avión común

En vuelo el obispillo blanco contrasta con el azul oscuro brillante, casi negro, de la cola y alas. Obsérvese la cola corta y ahorquillada.

Desde abajo, los aviones comunes parecen claros con el pecho blanco y sin banda pectoral oscura. Con frecuencia planea.

DATOS

Nombre científico *Delichon urbica*
Familia Hirundínidos
Largo 13,3-15 cm
Nido Taza de barro bajo los aleros con pequeño orificio para entrar
Huevos 4-5, blanco
Nidadas 2-3 al año
Alimento Insectos en vuelo
Voz Llamadas gorjeantes emitidas en las colonias. El canto es una agrupación de notas dulces no relacionadas.
Comparación Más pequeño que la golondrina
Dónde se ve Este visitante estival es común en pueblos y pequeñas ciudades, en donde hay sitios para anidar y campo abierto para que se alimente de insectos voladores. Debe haber suministro de barro para construir el nido.

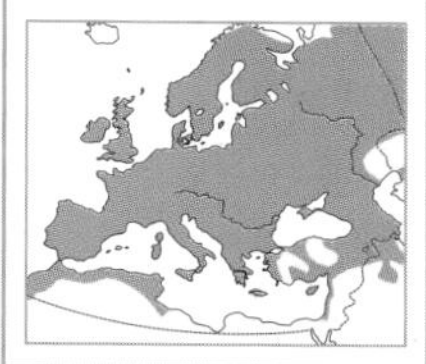

En abril, el avión común regresa a Europa desde África para criar, antes de desplazarse al sur de nuevo en septiembre. Como se reproduce en colonias poco pobladas que anidan bajo los aleros de las casas, el avión común es más familiar que su pariente cercano la golondrina. El nido está hecho de pequeños trozos de barro pegado a la pared y a los aleros. El barro se recoge de los charcos y de las riberas de los ríos. Se posa en bandadas sobre cables telegráficos cuando sus crías han emplumado.

Los aviones comunes sólo se avistan en el suelo a comienzos de la primavera, donde recogen barro con el pico para la construcción del nido.

Avión zapador

El adulto tiene alas y cola marrones, cola ligeramente ahorquillada y banda pectoral marrón bien definida.

Es la más pequeña de las golondrinas que se avistan en la península Ibérica. Bandadas de aviones zapadores que cazan insectos en vuelo son un rasgo de las áreas abiertas donde hay riberas adecuadas para anidar. El vuelo es rápido y ligero. A finales de verano y a comienzos de otoño se reúnen grandes bandadas y se posan en los juncales antes de migrar a África para invernar.

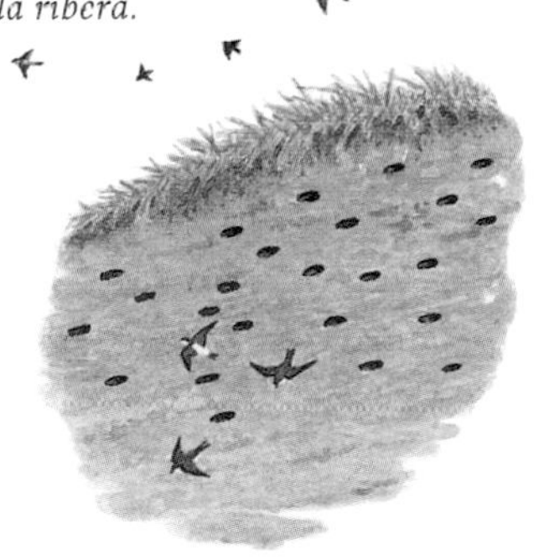

Anidan en colonias, con muchas madrigueras excavadas en la ribera.

DATOS

Nombre científico *Riparia riparia*

Familia Hirundínidos

Largo 12-13 cm

Envergadura 26-29 cm

Nido Madriguera excavada de hasta 1 m en las orillas.

Huevos 4-5, blanco

Nidadas 2 al año

Alimento Insectos en vuelo

Voz Llamada repetitiva, seca y áspera realizada cuando están nerviosas en una colonia.

Comparación Más pequeño que la golondrina

Dónde se ve Visitantes estivales que llegan a Europa desde el oeste de África a finales de marzo y abril y se marchan en septiembre o a comienzos de octubre. Cría en colonias en la arena y en orillas de los ríos y graveras abandonadas.

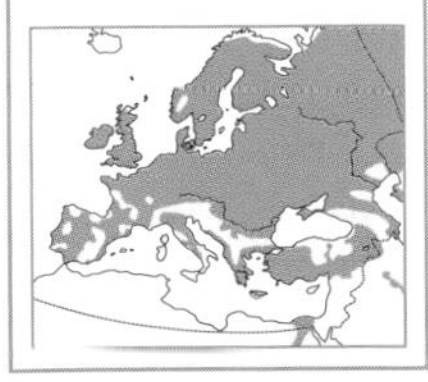

SIMILARES

Vencejo común en vuelo **(p. 117)** Más grande y aspecto oscuro.

Golondrina en vuelo **(pp. 44-45)** Cola ahorquillada con rectrices. Dorso azul oscuro. Banda pectoral oscura.

Estornino en vuelo **(pp. 16-17)** Extremo recto en el borde de las alas. Rechoncho. También se posa en los cables eléctricos.

Pico menor

La ♀ carece de píleo rojo.

El vuelo es ondulante.

El ♂ tiene píleo rojo, cara blanca que llega al pecho sin interrupción, barras alares blancas, listas poco definidas en el pecho y sin rojo bajo la cola.

DATOS

Nombre científico *Dendrocopos minor*
Familia Pícidos
Largo 14-16 cm
Envergadura 24-29 cm
Nido Oquedad en árbol
Huevos 4-6, blanco
Nidadas 1 al año
Alimento Insectos y otros invertebrados
Voz Llamada corta, aguda «ki-ki-ki-ki» repetida El canto es una serie de 8-15 trinos. Su golpeteo en los árboles es más débil pero más prolongado que el pico picapinos (ver p. 42), y dura de 1,2 a 1,18 segundos.
Comparación Similar al estornino
Dónde se ve Bosques caducifolios, huertos, parques, grandes jardines y bosques de píceas en valles ribereños, que proporcionan el hábitat de reproducción de este residente. La población se ha reducido últimamente y hay cierta preocupación por su estado. El pico menor es un ave habitual en la península Ibérica.

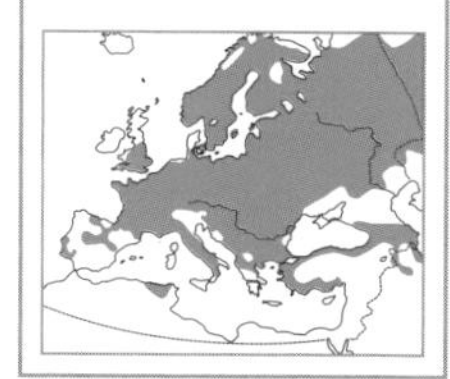

Es el más pequeño de los carpinteros europeos, del tamaño del estornino, pero con la forma característica de carpintero cuando rebusca comida en las ramas y en los troncos de los árboles. El pico es bastante corto y la frente alta. En su vuelo ondulante se pueden ver claramente las típicas amplias alas «con dedos» y la cola apuntada de los carpinteros.

El juvenil está menos marcado.

La búsqueda de insectos puede llevar al pico menor a las ramas más externas de los árboles.

Pito real

La ♀ tiene una bigotera completamente negra.

El juvenil es moteado, pero puede averiguarse su sexo por la presencia o ausencia de rojo en la bigotera.

En el suelo, el pito real tiene una postura bastante erguida debido a las rígidas plumas de la cola. El ♂ tiene un área central roja en la bigotera.

DATOS

Nombre científico *Picus viridus*

Familia Pícidos

Largo 30-36 cm

Envergadura 45-51 cm

Nido Oquedad en el tronco de un árbol

Huevos 5-7, blanco

Nidadas 1 al año

Alimento Insectos como hormigas y escarabajos

Voz Llamada estridente, como un relincho, que se oye a distancia, y que también proporciona la base del canto, que consta de una serie de 10-18 notas con aceleración de las últimas notas.

Comparación Similar al cernícalo.

Dónde se ve Se observa durante todo el año. Cría en bosques abiertos de caducifolias y mixtos, parques, grandes jardines con árboles.

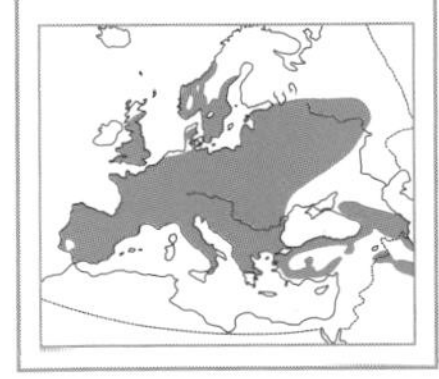

El pito real se suele ver en vuelo o alimentándose en el suelo de los pastos, claros y prados cerca de los bosques. Con su lengua extremadamente larga puede hurgar profundamente en la madera podrida o en la tierra en busca de larvas de escarabajos u hormigas, que adhiere a la punta.

Su llamada de «relincho» se oye a distancia.

El vuelo del pico real es ondulante y cierra las alas completamente en la ondulación descendente.

SIMILARES

Pico picapinos **(pp. 42-43)** Más pequeño que el pito real. Marcas calvas blanco y negro.

Trepador azul **(p. 122)** Pequeño. Dorso ceniciento. Zona ventral naranja. Cola con extremo cuadrado.

Agateador norteño **(p. 123)** Dorso barrado marrón. Zona ventral clara. Pico curvado hacia abajo.

Trepador azul

En vuelo, las alas son amplias. El vuelo corto de árbol en árbol es directo, pero en los vuelos más largos es ondulante.

El trepador azul tiene un perfil característico con el largo pico apuntado, cabeza grande (sin cuello visible), corta cola cuadrada y banda ocular negra.

DATOS

Nombre científico *Sitta europaea*

Familia Sítidos

Largo 12-14,5 cm

Nido En una oquedad de un árbol o caja de nido con barro aplicado en la entrada.

Huevos 6-9, blanco con motas rojizas

Nidadas 1 al año

Alimento Semillas, frutos secos, insectos

Voz Llamada fuerte más aguda que la del herrerillo o un «tuitt» muy alto. El canto es fuerte, con trinos o silbidos y lo emite desde una percha alta.

Comparación Similar al gorrión común.

Dónde se ve Cría en árboles maduros de bosques mixtos y caducifolios, parques y jardines. Se puede encontrar todo el año en la península Ibérica. Tampoco es infrecuente en la mayor parte de Europa.

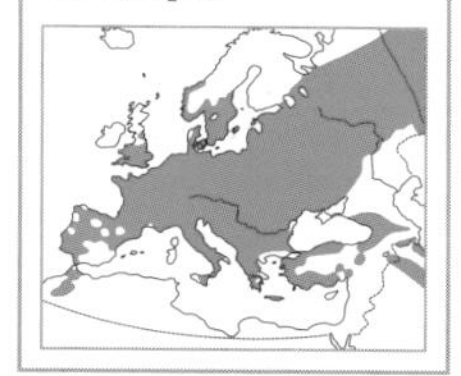

Es un ave nerviosa y a veces agresiva que puede ser constituir una alegría para todos aquellos afortunados que los tienen como visitantes de los jardines. Visitan las mesas para aves y los comederos de cacahuetes y los defienden agresivamente de otras especies. Si la entrada a un nido es demasiado grande, utilizarán barro para reducir el tamaño. Pueden recorrer con naturalidad los troncos cabeza abajo. Para descascarillar los frutos secos, los sujeta en horquillas de un árbol o una grieta y los abre a picotazos.

El trepador azul baja del tronco de los árboles cabeza abajo, e introduce frutos secos en una grieta para abrirlos a picotazos.

Agateador norteño

El dorso con marrón oscuro barrado contrasta con la zona ventral clara y lisa. Se suele ver en postura erguida sobre los troncos de los árboles y ramas.

DATOS
Nombre científico *Certhia familiaris*
Familia Cértidos
Largo 12,5-17 cm
Nido Taza oculta en una corteza suelta
Huevos 6-7, blancos con motas rojizas
Nidadas 1-2 al año
Alimento Insectos
Voz La llamada es zumbido repetido «tsi-tsi». El canto es alto y dura de 2 a 3 segundos.
Comparación Similar al gorrión común
Dónde se ve Cría en bosques, con frecuencia donde hay coníferas. En Europa continental, los criadores más orientales y norteños se pueden desplazar al sur en invierno.

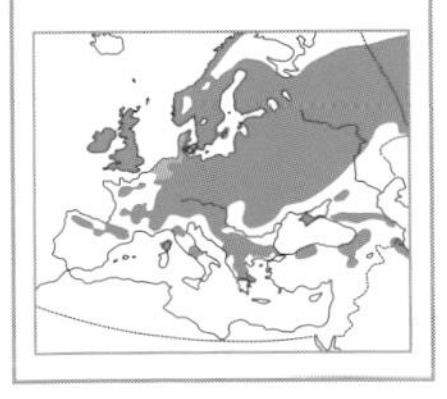

El agateador norteño está adaptado para vivir en los árboles. Su pico ligeramente curvado hacia abajo se utiliza para hurgar en la corteza de los árboles en busca de insectos, arañas y otros invertebrados. Es menos ágil que el trepador azul y sólo puede ascender por el tronco del árbol: tiene que volar hacia abajo y luego trepar en vertical, en forma de espiral entrecortada en torno al tronco.

El agateador norteño se desplaza en espiral por el tronco del árbol y vuela hacia el suelo o a otro árbol.

SIMILARES

Carbonero común (p. 104) Pecho amarillo. Banda bajo pecho.
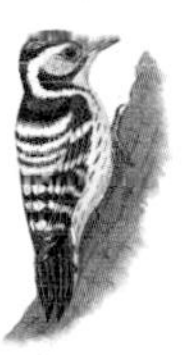
Pico menor (p. 120) Blanco y negro. Patrón barrado en el dorso.
Papamoscas gris (p. 89) Se posa en postura erguida sobre una percha. Captura insectos en vuelo.
Chochín común (pp. 34-35) Más rechoncho. Más pequeño. Se mueve en horizontal más que en vertical.

Tórtola turca

En vuelo, la parte interior de la cola muestra marcas oscuras en la parte superior.

El adulto tiene plumaje suave marrón grisáceo, puntas de las alas oscuras, collar oscuro en la nuca bordeado de blanco, patas rojas y ojos rojos.

DATOS

Nombre científico *Streptopelia decaocto*

Familia Colúmbidos

Largo 31-34 cm

Envergadura 48-56 cm

Nido Plataforma de ramitas en una rama

Huevos 2, blanco

Nidadas 2-5 al año

Alimento Semillas, grano

Voz El canto es un «cuu» repetido de tres sílabas con énfasis en la segunda sílaba alargada.

Comparación Más pequeña que la paloma torcaz, más grande que el mirlo.

Dónde se ve Cría en terrenos de cultivo, parques y jardines donde hay árboles densos para anidar. En invierno se suelen encontrar en bandadas que se alimentan en los terrenos de cultivo y en puertos, donde se carga el grano. Se distribuye por toda Europa, desde el norte de España a la costa de Noruega.

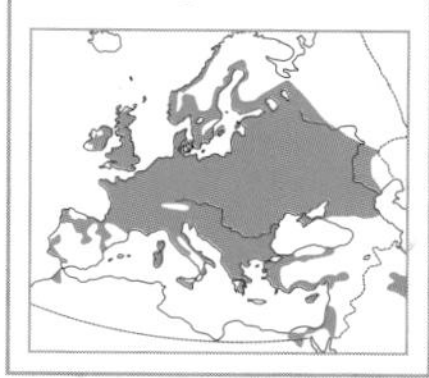

De origen asiático, empezó a ampliar su distribución alrededor de 1800. Es una especie muy adaptable que ha colonizado con éxito y se ha convertido en una de las aves más comunes. La época de cría es prolongada, y se pueden encontrar tórtolas turcas que anidan de febrero a noviembre. Se las puede encontrar en los árboles altos de parques, sobre todo cedros, y en la proximidad de zonas habitadas.

Se alimenta en el suelo, y las tórtolas turcas pueden comenzar a exhibirse entre sí.

Tórtola común

El adulto tiene alas con dibujo similar a un caparazón, pecho rosáceo, cuatro marcas negras bordeadas de blanco en el cuello, pupila negra rodeada de naranja y ojos bordeados de rojo.

En vuelo, la cola es más puntiaguda que la de la tórtola turca, y el negro de la cola contrasta con el extremo blanco.

La llamada de esta ave migratoria ha sido uno de los sonidos de los terrenos de cultivo en verano, pero en los últimos años, su población se ha reducido de manera significativa. Se puede escuchar más que ver, porque suele ocultarse en los arbustos y árboles densos. Su llamada es bisilábica y repetitiva.

Los adultos suelen posarse juntos y acicalarse entre sí.

DATOS

Nombre científico *Streptopelia turtur*

Familia Colúmbidos

Largo 25-27 cm

Envergadura 49-55 cm

Nido Plataforma de ramitas en una rama

Huevos 2, blanco

Nidadas 2 al año

Alimento Semillas

Voz El canto es un profundo ronroneo, repetido varias veces, como un «tur-tur». También hace un ruidoso repiqueteo con las alas

Comparación Algo más grande que el mirlo.

Dónde se ve La tórtola común regresa del África subsahariana en mayo y permanece hasta agosto. Se encuentra en toda Europa, pero está ausente en Irlanda, Escocia y Escandinavia. Bosques abiertos caducifolios, bosquecillos, parques con abundante vegetación y terrenos de cultivo con abundantes árboles y maleza.

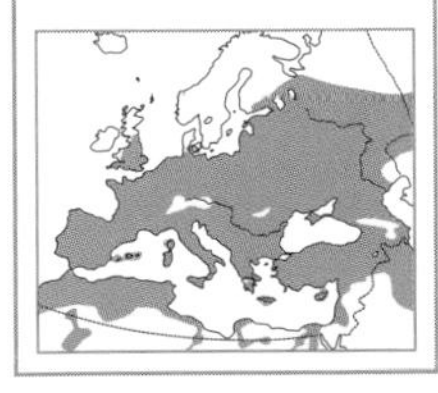

SIMILARES

Paloma torcaz (pp. 46-47) Grande. Rotunda. Cabeza pequeña. Collar blanco. Predominantemente gris.

Paloma zurita (p. 127) Sin collar. Algo más grande y más gris.

Paloma bravía (p. 126) Más grande y maciza.

Cernícalo ♂ (pp. 48-49) Cola larga. Pico ganchudo. Sobre todo marrón.

Cuco en vuelo **(p. 128)** Pecho barrado, cola larga, pico curvado hacia abajo.

Paloma bravía

Las palomas bravías adquieren una variedad de plumajes.

DATOS

Nombre científico *Columba livia*
Familia Colúmbidos
Largo 29-35 cm
Envergadura 60-68 cm
Nido Material vegetal escaso en el alero
Huevos 2, blanco
Nidadas 2-3 al año
Alimento Semillas, grano
Voz «Cuus» con tres sílabas y énfasis en la segunda
Comparación Más pequeña que la paloma torcaz
Dónde se ve Aunque las palomas bravías silvestres están confinadas a cortados rocosos, la paloma bravía se encuentra en las ciudades de gran parte de Europa. Las palomas bravías se pueden agregar a bandadas de palomas torcaces y palomas zuritas durante el invierno.

La paloma bravía es muy común en los centros urbanos, mientras que su antecesor salvaje sólo se encuentra ahora en los cortados rocosos (tanto costeros o interiores) más remotos. Para esta paloma, las escarpadas caras de los edificios de las ciudades con aleros para criar son los acantilados urbanos equivalentes. Las palomas se han domesticado desde hace miles de años como fuente de alimento, en especial en invierno. Las palomas bravías ahora muestran una amplia variedad de plumajes, desde el blanco hasta casi el negro. La paloma bravía salvaje tiene una mancha blanca en el obispillo.

En vuelo, las alas parecen más puntiagudas que las de las palomas torcaces o las tórtolas turcas.

Paloma zurita

Obsérvense las marcas negras que se pueden ver cuando las alas están plegadas.

El adulto es más pequeño que la paloma torcaz y tiene marcas verdes metalizadas a los lados del cuello. El tono rojizo del pecho no está tan extendido como en la paloma torcaz.

En vuelo, las puntas de las alas están claramente perfiladas con negro, dándoles un aspecto bastante puntiagudo.

DATOS

Nombre científico *Columba oenas*

Familia Colúmbidos

Largo 28-32 cm

Envergadura 60-66 cm

Nido Oquedad en un árbol o rocas

Huevos 2, blanco

Nidadas 2-3 al año

Alimento Semillas, grano

Voz «Cuu» bisilábico con un inicio débil y bastante monótono

Comparación Más pequeña que la paloma torcaz

Dónde se ve Es un ave de los límites de bosques, parques con árboles maduros y terrenos de cultivo con setos y árboles que les proporcionan lugares para anidar. Residente en el este y sur, pero las de Europa del este migran al oeste en otoño.

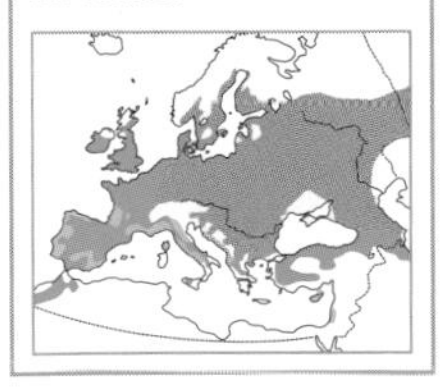

Muchas personas no se fijan en esta paloma, pero es bastante común y una vez que se identifica, no es difícil de diferenciarla de la paloma bravía y de la paloma torcaz, con las que a veces se ve alimentarse en los terrenos de cultivo durante el invierno. Esta paloma tiene la costumbre de anidar en grandes oquedades de los árboles.

Las palomas zuritas suelen alimentarse en el suelo en pequeñas bandadas, a veces con otras especies de palomas.

SIMILARES

Paloma torcaz (pp. 46-47) Más grande y rechoncha. Marcas blancas en el cuello. Marcas alares blancas.

Tórtola turca (p. 124) Marrón grisácea. Más esbelta. Marcas negras en cuello.

Tórtola común (p. 125) Más pequeña. Más esbelta. Patrón moteado en dorso.

Cuco (p. 128) Cola larga, pico hacia abajo y pecho barrado.

Cuco

19, 20 de mayo 2012
- we heard these en España, Girona vegada Santa Joan de les Abadesses
- Rick saw one on roof top near us
sound just like 'cucu-clock'

En vuelo, los aleteos son regulares y las alas no se levantan más allá del dorso. Punta de la cola con forma de rombo.

El cuco elige perchas prominentes, como postes telegráficos, vallas y cables. Obsérvese el pecho con líneas grises estrechas y la cabeza pequeña.

DATOS

Nombre científico *Cuculus canorus*
Familia Cucúlidos
Largo 32-36 cm
Envergadura 54-60 cm
Nido Ninguno, porque usurpa los de otras especies.
Huevos 8-12, puestos en los nidos de otras especies y que simulan los huevos del anfitrión.
Alimento Insectos, incluidos los capullos de polillas
Voz Llamada «cu-cu» de dos sílabas del ♂. La ♀ tiene un trino burbujeante
Comparación Similar al cernícalo
Dónde se ve Todos los tipos de áreas boscosas y campo abierto, incluidos páramos, brezales y marismas de Europa, excepto Islandia. Migrador estival que inverna al oeste de África.

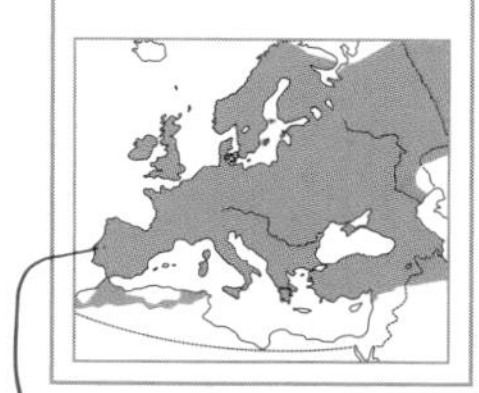

nesting grounds

Todos pueden reconocer la llamada del cuco macho, pero muy pocos pueden identificar a la misma ave. El cuco llega en abril y los adultos parten en agosto seguidos por las crías que se dirigen al sur hacia África. Pocos cucos permanecen en Europa en septiembre. Las largas alas puntiagudas, cola larga y vuelo directo rápido en el cual las alas no se elevan sobre la horizontal dando la impresión de ser un depredador en vuelo, pero la cabeza con su pico ligeramente curvado hacia abajo se parece muy poco a la de un ave de presa. Las hembras suelen especializarse en una especie particular de anfitrión y sus huevos imitan a los otros.

Es más probable que los cucos se vean cuando los están alimentando sus padres adoptivos (en esta ilustración, un acentor). En esta etapa son marrones.

Alcotán europeo

El alcotán en percha muestra un elegante plumaje gris oscuro y blanco, con cara y bigotera oscuras y «perneras» rojizas. En reposo las puntas de las alas se extienden hasta la punta de la cola.

DATOS

Nombre científico *Falco subbuteo*
Familia Falcónidos
Largo 29-35 cm
Envergadura 70-84 cm
Nido Nidos antiguos de cuervos en lo alto de un árbol
Huevos 2-3, motas rojizas sobre fondo amarillento
Nidadas 1 al año
Alimento Insectos voladores, pequeñas aves
Voz Llamada «kiu kiu» repetido o un «ki-ki-ki» agudo.
Comparación Algo más pequeño que el cernícalo
Dónde se ve Cría en todo el sur de Europa, donde se asocia a brezales, y al sur de Escandinavia en áreas donde haya árboles y campo abierto donde cazar. Es un visitante estival desde finales de abril y septiembre, cuando migra a África.

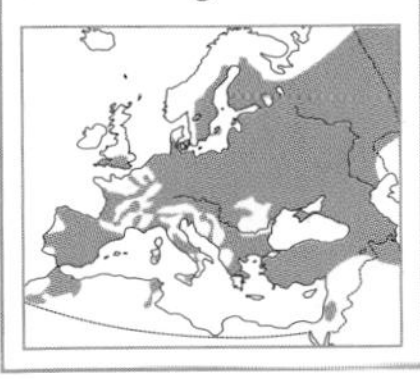

Este pequeño y ágil halcón se especializa en cazar pequeñas aves y grandes insectos, que captura en vuelo con sus talones. La caza del alcotán es espectacular porque el ave cae en picado a gran velocidad para atrapar su presa con las garras y llevárselo al pico sin dejar de volar. Se suele ver cazando libélulas en las tardes de verano cuyas alas desgarra antes de consumir el resto del insecto en vuelo.

En vuelo, el alcotán europeo tiene una silueta similar a la del vencejo. Aquí, está cazando un avión común.

SIMILARES

Cernícalo ♂ (pp. 48-49) Cabeza gris. Dorso castaño. Cola gris.

Cernícalo vulgar ♀ (pp. 48-49) Cola y dorso barrados y marrones.

Tórtola común (p. 125) Dorso moteado. Blanco en cola.

Tórtola turca (p. 124) Marrón grisácea. Collar negro.

Vencejo común (p. 117) Cuerpo más oscuro. Más pequeño.

Gavilán (p. 131) Alas redondeadas.

Milano real

kite

En la percha, el milano real parece bastante desaliñado, pero es elegante en vuelo con la cabeza blanca grisácea. Obsérvese la cola ahorquillada.

DATOS

Nombre científico *Milvus milvus*

Familia Accipítridos

Largo 61-72 cm — ¡grande!

Envergadura 140-165 cm — v-tail

Nido Montón de ramas en lo alto de un árbol

Huevos 2-3, blanco con motas rojizas salteadas

Nidadas 1 al año

Alimento Carroña, pequeñas aves y mamíferos, grandes insectos y gusanos — carrion

Voz Silencioso, pero emite una fina llamada de maullido similar al ratonero.

Dónde se ve Los bosques, áreas boscosas y terrenos de cultivo son sus áreas preferidas. Está escasamente distribuido por Europa, desde el sur de Escandinavia a España, con poblaciones en Gales. El milano real es común durante todo el año en la península Ibérica. Algunos de los criadores continentales migran al sur, hacia el norte de África en invierno.

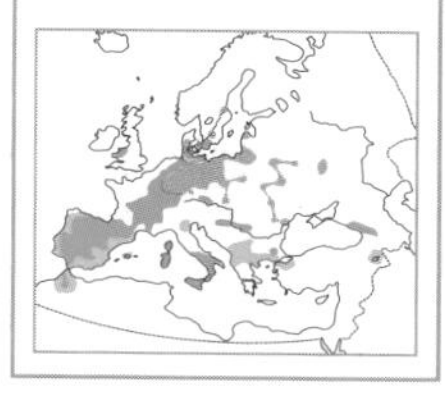

Ave bastante común en Europa continental, tiene el privilegio de ser la más elegante de las rapaces de la península Ibérica y una de las más características de su fauna. Este ave de presa tiene largas alas y la cola muestra una clara V en ella. Planea y vuela directamente de una forma bastante lenta.

Obsérvense las manchas blancas en la parte interior de las largas alas y la cola roja ahorquillada en vuelo. Con frecuencia, las alas están flexionadas y parecen dobladas.

Gavilán

La ♀ adulta tiene dorso gris pizarra y pecho barrado rojizo.

El ♂ adulto tiene plumaje marrón grisáceo con finas barras por el pecho y franja superciliar clara. Las bandas de la cola son escasas.

DATOS

Nombre científico *Accipiter nisus*

Familia Accipítridos

Largo 29-35 cm

Envergadura 70-84 cm

Nido Plataforma de ramas en un árbol

Huevos 4-5, blanco, con manchas marrón oscuras

Nidadas 1 al año

Alimento Aves

Voz Silencioso excepto durante la época de cría, cuando emite un «kik-kik-kik» cotorreante.

Comparación Similar al cernícalo

Dónde se ve Cría en zonas boscosas, bosques, parques y terrenos cultivados con densos soportes de árboles, y visitan jardines en áreas urbanas.

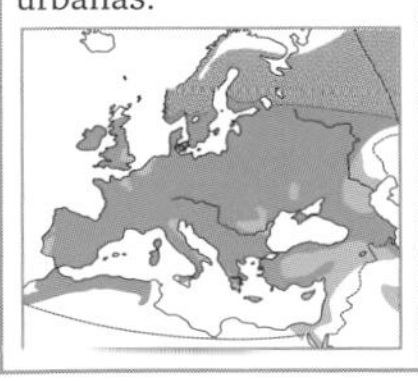

Las hembras son más grandes que los machos, lo que permite a cada sexo aprovecharse de presas de tamaño diferente. El macho suele apoderarse de gorriones, pinzones y aves de tamaño similar, mientras que la hembra se apoderará de aves del tamaño de palomas. Algo infrecuente en las aves de presa, los sexos tienen plumajes característicos. Es un depredador elegante, que vuela rápido a cortas distancias y usa la larga cola para maniobrar entre las ramas.

En vuelo, las alas parecen redondeadas con los «dedos» visibles. El ♂ es más grande que la ♀, que tiene pecho rojizo y dorso gris.

SIMILARES

Cernícalo vulgar (p. 48) Alas apuntadas. Planea.

Ratonero común (p. 50) Alas redondeadas, amplias. Cola corta.

Paloma torcaz (p. 46) Cabeza pequeña. Pecho hundido. Aleteos rápidos y confusos.

Cuco (p. 128) Alas apuntadas, curvadas hacia atrás. Cabeza pequeña. Pico puntiagudo.

Lechuza común

La lechuza común tiene la cara con forma de corazón, ojos negros y patas largas cubiertas de plumas.

DATOS

Nombre científico *Tyto alba*

Familia Titónidos

Largo 33-39 cm

Envergadura 80-95 cm

Nido Oquedad en un árbol o edificio

Huevos 4-7, blanco

Nidadas 1-2 al año

Alimento Pequeños insectos, pequeñas aves, ranas

Voz La llamada de la hembra es un chillido ronroneante. La de alarma emitida en vuelo es un chillido agudo, y el canto es un chillido como de cascabel que dura un par de segundos.

Comparación Similar al cernícalo, más grande que el mochuelo europeo

Dónde se ve Necesitan áreas abiertas en donde cazar, y árboles o edificios donde anidar. Se encuentran en gran parte de Europa, pero no en Escandinavia.

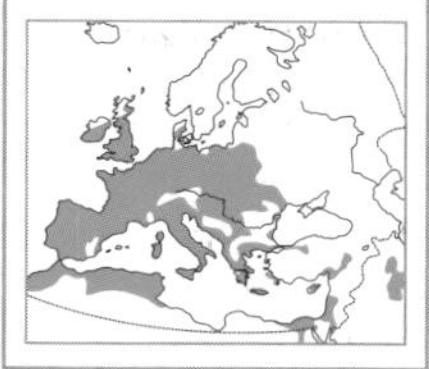

Aunque no es tan común como antes, es más probable que se vea más la lechuza común que el cárabo común, debido a su hábito de cazar sobre los campos y cunetas de la carretera al amanecer y al atardecer. Su plumaje claro y su vuelo silencioso da a esta lechuza un aspecto fantasmal. Caza volando lentamente hacia arriba y abajo en las áreas abiertas, cayendo en picado sobre roedores desprevenidos.

En vuelo la cabeza de la lechuza común es prominente y con frecuencia lleva las patas hacia atrás. Obsérvese lo pálida que parece.

Cárabo común

DATOS

Nombre científico *Strix aluco*
Familia Estrígidos
Largo 37-43 cm
Envergadura 81-96 cm
Nido Oquedad en un árbol o edificio
Huevos 2-4, blancos
Nidadas 1 al año
Alimento Pequeños mamíferos, pequeñas aves, grandes insectos
Voz La llamada es un chillón «kiuick» repetido, resaltando la sílaba final. El canto es un silbido melancólico que comienza con una nota descendente alargada, seguido por una pausa de unos cuatro segundos y después una rápida serie de notas alargadas «huuuuh, huu, huu, huuuuh». El ♂ tiene una variación lastimera de ese canto.
Comparación Algo más grande que el cernícalo
Dónde se ve Ausente de Irlanda y de gran parte de Escandinavia, está muy extendido en toda Europa, en bosques, parques muy arbolados, jardines y parques de ciudades con árboles maduros, en especial robles.

El adulto tiene una gran cabeza redondeada, ojos negros, franjas claras en el píleo y una barra interrumpida clara en las alas cerradas.

Su caza completamente nocturna hace que el cárabo común sea difícil de ver. Puede avistarse con los faros de los coches o cuando se le molesta durante el día. A veces las atenciones de las aves pequeñas que molestan a un cárabo que está pernoctando durante el día ofrece una oportunidad de verlos. El canto del cárabo común es el sonido tradicional del búho, el «tuit-tu».

El juvenil es gris sedoso. Si nos encontramos a uno posado en un árbol, hay que dejarlo solo, los padres estarán cerca y le alimentan por la noche.

SIMILARES

Mochuelo europeo (pp. 52-53) Pequeño. Aspecto acuclillado.

Gavilán ♀ (p. 131) Alas con «dedos». Cola larga. Cabeza más pequeña.
Cernícalo vulgar ♀ (pp. 48-49) Alas apuntadas. La larga cola se extiende al planear.
Faisán ♀ (pp. 54-55) Alas más cortas. Cuello largo. Cola larga.

Perdiz pardilla

La ♀ adulta se parece al ♂, pero es más apagada y la mancha en el vientre es más pequeña.

El ♂ tiene la cara marrón anaranjada, cuello y pecho grises y una mancha marrón rojiza oscura en el vientre.

DATOS

Nombre científico *Perdix perdix*

Familia Fasiánidos

Largo 28-32 cm

Nido En el suelo

Huevos 10-20, pardos

Nidadas 1 al año

Alimento Semillas, insectos, hojas

Voz Llamada triple aguda cuando la bandada se reúne en el aire. El canto de ambos sexos es un ronco y recortado «kirr-ik».

Comparación Algo más pequeña que la paloma torcaz

Dónde se ve Cría en los terrenos de cultivo abiertos con refugios en setos y bosquecillos en toda Europa, desde Irlanda a Rusia, pero sólo en el norte de España e Italia. Residente en todo su rango.

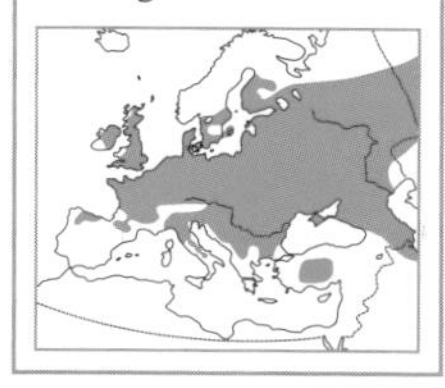

Avistar una perdiz pardilla se ha convertido en un acontecimiento porque su población ha disminuido alarmantemente. Es un ave de caza nativa en las tierras bajas inglesas (a diferencia de los recién introducidos faisanes y perdices rojas). Es un ave de praderas abiertas donde haya un refugio en forma de setos y bosquecillos. Fuera de la época de cría, la perdiz pardilla es gregaria, vive en bandadas compactas, vuela rápido y se comporta con nerviosismo, ya sea quedándose inmóvil o corriendo.

En vuelo, tiene un aleteo rápido y ruidoso con deslizamientos bajos sobre el suelo. Obsérvense los extremos naranjas de la cola marrón.

Perdiz común

Cuando vuela, las esquinas castañas de la cola contrastan con el obispillo gris y las alas aparecen lisas.

DATOS

Nombre científico *Alectoris rufa*
Familia Fasiánidos
Largo 32-35 cm
Envergadura 47-50 cm
Nido En el suelo
Huevos 10-16, amarillento con motas rojizas
Nidadas 1-2 al año
Alimento Semillas, insectos, hojas
Voz Las llamadas son una serie de roncos «chuk-chuk-chukar-chukar».
Comparación Algo más pequeña que la paloma torcaz
Dónde se ve Es un ave que se avista por el sur de Italia, norte de Italia y península Ibérica, donde cría en brezales rocosos e incluso en montañas. Es residente.

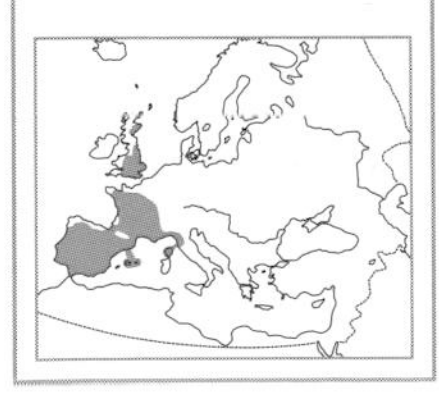

El adulto es rechoncho con pequeña cabeza, parche blanco en la garganta rodeado de marcas negras que aparecen como moteado en el pecho gris, cejas blancas, barrado intenso en los flancos y patas rojas.

La perdiz común está restringida a Francia y España. Se introdujo en Inglaterra y Escocia en el siglo XVIII como presa deportiva, cuando se la denominó también perdiz francesa, debido a que sus patas rojas recordaban las polainas rojas llevadas por los soldados franceses. Es algo más grande que su pariente nativo. Con frecuencia se ve en bandadas y sale disparada antes de volar cuando se siente molestada.

La ♀ mantiene a los polluelos en compactos grupos familiares.

SIMILARES

Paloma torcaz (pp. 46-47) Más gris. Marca blanca en el cuello. Blanco en alas. Más pequeña.

Faisán ♀ (pp. 54-55) Más grande. Cuello más largo. Cola más larga.

Faisán cría **(pp. 54-55)** Cuello más largo. Patas más largas.

Chorlito dorado común

Los adultos en invierno y los juveniles son muy similares, con pecho marrón barrado fundiéndose en el vientre claro.

El adulto en verano tiene el pecho negro bordeado de blanco.

DATOS

Nombre científico *Pluvialis apricaria*
Familia Carádridos
Largo 25-28 cm
Envergadura 53-59 cm
Nido Hoyo en el suelo
Huevos 4, pardo, con manchas marrones
Nidadas 1 al año
Alimento Insectos, gusanos
Voz Silbido plano, ligeramente arrastrado descendente «puu»
Comparación Algo más pequeño que el avefría, más grande que el correlimos
Donde se ve Cría en páramos, ciénagas, tundra y paredes montañosas sobre la línea de árboles en el norte de Europa, incluidos páramos en Gran Bretaña. En invierno, se desplazan al sur en bandadas para alimentarse en las tierras bajas y terrenos cultivados, con frecuencia en sitios tradicionales.

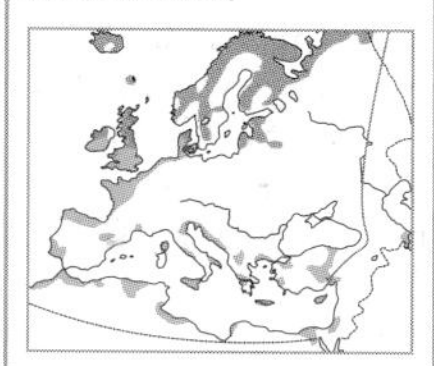

El chorlito dorado en plumaje de cría es un ave sorprendente. El dorso amarillo verdoso bordeado de negro le da ese aspecto dorado de donde toma su nombre. Incluso en invierno, cuando el pecho negro del plumaje de cría ha desaparecido, hay restos de dorado en el dorso y alas. Los chorlitos dorados se suelen ver sobre todo en invierno, donde forman bandadas y se alimentan en los campos de cultivo junto con las avefrías y las gaviotas reidoras.

En vuelo, los chorlitos dorados tienen alas puntiagudas y vuelan rápida y directamente. Cuando se reúnen en bandadas con las avefrías, los chorlitos dorados son más pequeños y no tienen alas redondeadas.

Chorlito gris

En invierno, adultos y juveniles son parecidos, aunque el pecho de los juveniles muestra más rayas. Obsérvese el sólido pico negro y las cejas claras.

El adulto en verano tiene una gran extensión de negro desde la cara al vientre. Véase el cuerpo voluminoso y una postura bastante encorvada.

DATOS

Nombre científico *Pluvialis squatarola*

Familia Carádridos

Largo 26-29 cm

Envergadura 56-63 cm

Nido Hoyo en el suelo

Huevos 4, pardos moteados

Nidadas 1 al año

Alimento Gusanos y otros invertebrados

Voz Llamada trisilábica, lastimera

Comparación Algo más pequeño que el avefría, más grande que el correlimos

Dónde se ve Cría en la tundra ártica y después se desplaza al sur en invierno por Europa, aunque algunas aves se detienen para invernar en marismas y estuarios arenosos y con guijarros. Las aves que están invernando defienden los territorios de alimentación contra otros chorlitos gris.

En Norteamérica, el chorlito gris se conoce como chorlito de vientre negro al negro que se observa en el vientre, pecho y garganta del plumaje de reproducción, pero en la mayor parte de Europa, el plumaje invernal de estas especies que crían en la tundra es menos destacado. El negro permanece en su plumaje como manchas oscuras en las «axilas». El dorso está moteado de gris (mientras que en el chorlito dorado está moteado de amarillo).

En vuelo, se observa una clara barra alar sobre las alas y una mancha negra debajo de cada ala.

SIMILARES

Archibebe común **(p. 140)** Patas rojas. Pico más largo.

Archibebe común en vuelo **(p. 140)** Visible blanco en las alas.

Avefría europea **(pp. 60-61)** Blanco y negro. Frente alta. Cresta.

Avefría europea en vuelo **(pp. 60-61)** Blanco y negro. Puntas de alas redondeadas.

Gaviota reidora en invierno **(pp. 64-65)** Alas más largas. Blanco característico.

Agachadiza común

La agachadiza en reposo puede tener una postura bastante encorvada. El vientre no tiene marcas. Obsérvese la franja clara por el obispillo y las cejas claras. Rayas claras por el dorso que le sirven de camuflaje. Obsérvese el pico muy largo.

DATOS

Nombre científico *Gallinago gallinago*

Familia Escolopácidos

Largo 23-28 cm (incl. pico de 7 cm)

Envergadura 39-45 cm

Nido Hoyo revestido en el suelo

Huevos 4, verdosos claros, con manchas marrones

Nidadas 1 al año

Alimento Gusanos, insectos y otros invertebrados

Voz Llamada fuerte cuando vuela que recuerda a una bota de goma cuando se levanta del barro o un estornudo ahogado. Llama desde una percha con un «chip-per chip-per chip-per» sostenido con intensidad en la primera sílaba.

Comparación Similar a la gallereta, más pequeño que el avefría.

Dónde se ve La agachadiza cría en praderas anegadas, pantanos y marismas de Europa del norte e inverna en zonas húmedas, estuarios, costas y áreas similares en el Mediterráneo.

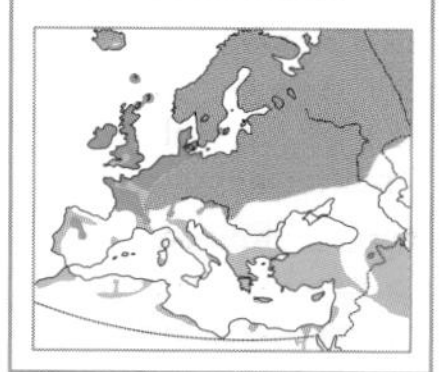

Esta ave cría en el norte de Europa y migra hacia el sur en invierno. En la península Ibérica pasan las agachadizas, donde forma una pequeña colonia en el norte. Su cortejo en primavera es un rasgo de estas zonas. El ave emprende un vuelo ascendente y luego se tira en picado abruptamente con el aire haciendo vibrar las plumas exteriores de la cola. Cuando se levanta, con frecuencia se alejará en un patrón de zig-zag. El largo pico es perfecto para hurgar en el barro en busca de gusanos y otros invertebrados.

Durante el cortejo sobre su territorio, la agachadilla utiliza las plumas exteriores de la cola para emitir un sonido tamborileante.

La agachadiza se suele posar en tocones. Este ejemplar en postura erguida muestra un cuello bastante largo.

Chocha perdiz

En vuelo, la chocha perdiz muestra un vientre protuberante.

Los adultos están muy bien camuflados y la ♀ posada es muy difícil de ver. Obsérvese la pronunciada frente angulada con amplias barras claras por la cabeza.

La chocha perdiz o becada es inusual porque es un ave zancuda que cría en zonas boscosas mixtas y caducifolias con tierra suficientemente húmeda en donde puede hurgar en busca de gusanos y otros invertebrados. Debido a que es más activa al amanecer y al atardecer, es más probable que se aviste cuando vuela accidentalmente durante el día o cuando el macho está ejecutando su vuelo territorial al atardecer de abril a junio. Este vuelo se caracteriza porque se realiza con rápidos aleteos sobre la copa de los árboles.

Cuando realiza su vuelo territorial, los aleteos son rápidos y la cabeza está erguida. En el crepúsculo, suele verse la silueta de las aves en vuelo territorial.

DATOS

Nombre científico *Scolopax rusticola*

Familia Escolopácidos

Largo 33-38 cm (incl. pico de 6-8 cm)

Envergadura 55-65 cm

Nido Hoyo revestido con hojas

Huevos 4, pardos, con manchas marrones

Nidadas 2 al año

Alimento Gusanos, insectos y otros invertebrados

Voz Cuando el ♂ está volando, emite 3 o 4 notas como gruñidos seguidas de un sonido explosivo agudo.

Comparación Más grande que el avefría.

Donde se ve Cría en toda Europa, desde el norte de España en los bosques húmedos con senderos, claros o campos. Las aves en reproducción del norte y este migran al sur en invierno. Muchas de las chochas perdiz que invernan en Inglaterra y Gales se desplazan al sur. Durante su recorrido migratorio y en el invierno se pueden encontrar en terreno más seco y con maleza así como en bosques.

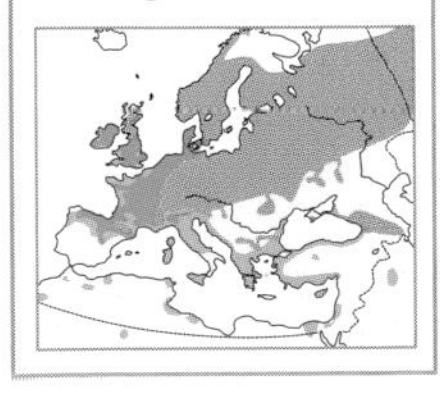

SIMILARES

Archibebe común (p. 140) Patas naranja rojizas. Patas largas.

Andarríos chico (p. 145) Contraste entre el pecho claro y el dorso oscuro. Mueve la cola.

Zarapito real (pp. 56-57) Pico largo, curvado hacia abajo. Patas largas.

Aguja colipinta (p. 141) Pico algo curvado hacia arriba.

Archibebe común

DATOS

Nombre científico *Tringa totanus*
Familia Escolopácidos
Largo 24-27 cm
Envergadura 47-53 cm
Nido Hoyo en el suelo, revestido de hierbas
Huevos 4, pardo con manchas negruzcas
Nidadas 1 al año
Alimento Gusanos, moluscos, crustáceos
Voz La llamada es un «ti-u ti-u ti-u» melancólico y arrastrado hacia abajo. Su canto emitido en vuelo o desde una percha es fuerte y musical.
Comparación Más pequeño que el avefría, más grande que el correlimos
Dónde se ve El archibebe común cría en las marismas costeras o interiores, humedales y pantanos del norte y este de Europa. En invierno se ve con menos frecuencia tierra adentro y por lo general se encuentra solo o en bandadas o cerca de la costa. En la península Ibérica está disperso.

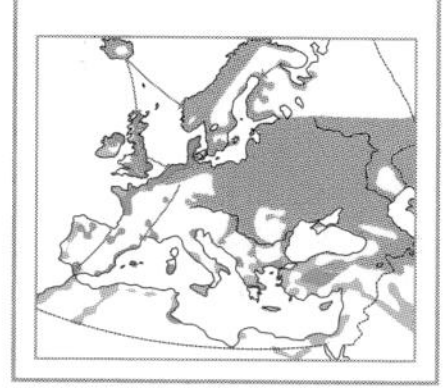

En invierno, el adulto tiene un plumaje más gris y menos barrado y patas rojo anaranjadas (los juveniles tienen patas naranja amarillentas).

El adulto en verano tiene una franja clara delante de los ojos, pecho estriado, patas rojo anaranjadas intensas, pico recto y bastante fuerte y una cola finamente barrada.

Ruidoso y habitual, el archibebe proporciona un buen ejemplo para compararlo con otras zancudas. Sus patas rojo anaranjadas y pico con base naranja son características distintivas (aunque se comparten con el pariente cercano y más raro archibebe oscuro, que no se incluye en este libro). En vuelo, su combinación de obispillo blanco y amplios bordes blancos de las alas es un claro diagnóstico.

En vuelo, el obispillo blanco y amplios bordes blancos de las alas se ven claramente. Los dedos se proyectan más allá de la punta de la cola.

Aguja colipinta

El adulto en verano tiene la cabeza, el pecho y la zona ventral castaños y el dorso salpicado de castaño y negro.

DATOS

Nombre científico *Limosa lapponica*

Familia Escolopácidos

Largo 33-41 cm

Envergadura 62-72 cm

Nido Hoyo en el suelo, revestido de hierbas

Huevos 4, olivas, con manchas marrones

Nidadas 1 al año

Alimento Moluscos, gusanos

Voz Llamada fuerte «kirrick kirrick» en vuelo

Comparación Más grande que el avefría

Dónde se ve Para avistar a las agujas colipintas en período de cría hay que viajar a la tundra de Laponia o Siberia. A finales del verano y a comienzos del otoño, bandadas de estas agujas se desplazan al sur. Las costas y estuarios de las islas Británicas, Francia y Países Bajos ofrecen ricas zonas de alimentación a estas aves migratorias.

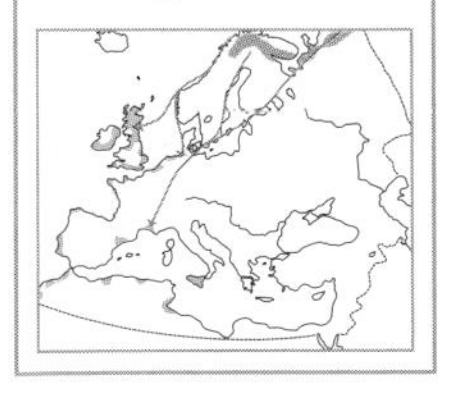

Esta zancuda cría en la tundra y taiga abiertas, en el extremo norte de Escandinavia y Rusia. Tiene una breve estación de reproducción en el verano ártico y se desplaza al sur en otoño para invernar en las costas de Europa occidental y oeste de África. La aguja colipinta tiene un pico ligeramente inclinado hacia arriba.

En vuelo no se observan las barras alares y las alas tienen primarias oscuras y obispillo blanco con cola barrada.

SIMILARES

Agachadiza común **(p. 138)** Patas más cortas. Largo pico recto.

Zarapito en vuelo **(pp. 56-57)** Pico curvado hacia abajo. Moteado en alas.

Ostrero en vuelo **(p. 146)** Blanco y negro. Pico grueso rojo anaranjado.

Correlimos gordo

En invierno, el adulto tiene plumaje gris, cejas claras, pico negro bastante corto y patas verdes claras.

El adulto en verano tiene la cabeza, pecho y zona ventral castaños con el dorso moteado.

DATOS

Nombre científico *Calidris canutus*
Familia Escolopácidos
Largo 23-26 cm
Envergadura 47-53 cm
Nido Hoyo en el suelo, revestido de hierbas
Huevos 4, verde claro moteado de marrón
Nidadas 1 al año
Alimento Moluscos, crustáceos, gusanos
Voz Llamada «knut» baja
Comparación Más grande que el correlimos común, más pequeño que el vuelvepiedras
Dónde se ve Este criador del ártico se encuentra en la tundra durante el verano, pero también se encuentra en estuarios y costas durante la mayor parte del año. Se encuentran grandes poblaciones en invierno en las zonas costeras de Europa occidental.

Esta zancuda tiene la costumbre de alimentarse en el borde del agua. Y uno de los espectáculos más destacados es la concentración anual de estas aves en la bahía de Delaware, al sur de Nueva Jersey, en el noroeste de Estados Unidos. Allí se concentran en las playas, entre mayo y junio, para alimentarse de los huevos del cangrejo herradura. Allí se reúnen también con otras zancudas como los vuelvepiedras. En invierno se dirigen a las lagunas, marismas y costas de Suramérica. Se cree que su nombre científico procede del rey anglosajón Canuto, del que se decía que se sentaba junto al mar y ordenaba a las mareas que no subieran. Sin embargo, lo más probable es que su nombre proceda de una imitación de su llamada. El correlimos es más robusto y más grande que otras zancudas y andarríos que se pueden ver en las costas europeas. El plumaje de verano es de un llamativo castaño, pero la mayoría de las aves que se ven por las costas son juveniles o adultos en invierno, que tienen plumaje gris.

En vuelo se observa el obispillo gris claro y estrechas barras alares.

Correlimos tridáctilo

En el plumaje de invierno, el adulto tiene ojos, pico y patas negros, negro en la flexión de las alas y plumaje gris, casi blanco. Ejecuta elegantes carreras delante de las olas rompientes.

DATOS

Nombre científico *Calidris alba*
Familia Escolopácidos
Largo 18-21 cm
Envergadura 40-45 cm
Nido Depresión en el suelo
Huevos 4, verdoso con motas marrones
Nidadas 1 al año
Alimento Moluscos, crustáceos
Voz La llamada es un líquido y repetido «tuic tuic»
Comparación Similar al correlimos común
Dónde se ve Cría en la tundra ártica y pasa por el mar del Norte y las costas atlánticas a finales del verano, otoño y primavera en su migración al oeste de África.

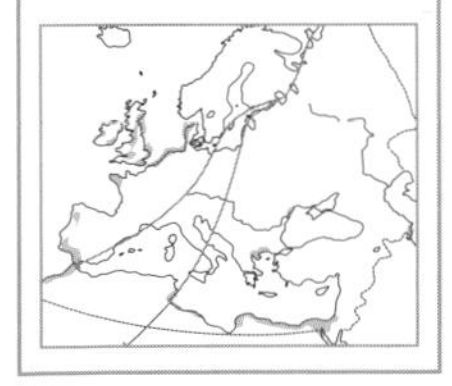

En verano, el adulto muestra cabeza, garganta, parte superior del pecho y dorso marrones, con zona ventral clara.

Esta pequeña zancuda tiene un comportamiento característico cuando las pequeñas bandadas corren con rapidez por la zona mareal, se detienen y vuelven a correr como si fueran juguetes mecánicos. Aunque tiene una coloración similar al correlimos gordo en invierno, parece más claro debido a las patas y pico negros. Cuando se observa a las zancudas en la costa, es relativamente fácil identificar a estos pequeños correlimos.

En vuelo, la barra alar blanca es muy evidente y la línea gris oscura bajo la cola muestra un obispillo blanco visible a cada lado.

SIMILARES

Correlimos común (pp. 58-59) Más marrón. Pico negro, ligeramente curvado hacia abajo.

Vuelvepiedras (p. 144) Contraste entre el vientre claro y dorso oscuro. Pico apuntado.

Andarríos chico (p. 145) Cuerpo más largo. Parte superior y zona ventral contrastantes. Mueve la cola arriba y abajo.

Chorlito gris (p. 137) Grande. Patas más largas. Cabeza característica.

Vuelvepiedras

El plumaje de invierno es marrón manchado con un patrón en el pecho muy marcado. Las patas son naranjas.

El plumaje de verano es bastante característico, con dorso naranja y dos amplias bandas en torno al dorso y con patrón blanco y negro en la cara y garganta. Obsérvense las patas naranjas y el pico en forma de cuña.

DATOS

Nombre científico *Arenaria interpres*
Familia Escolopácidos
Largo 21-24 cm
Envergadura 43-49 cm
Nido Hoyo en el suelo
Huevos 4, verdoso con manchas marrones
Nidadas 1 al año
Alimento Invertebrados
Voz La llamada es un vibrante «tuk-a-tuk-tuk».
Comparación Más grande que el correlimos común.
Dónde se ve Cría en torno a las costas rocosas y sin árboles de Escandinavia e inverna en las costas de las islas Británicas, Europa occidental y norte de África.

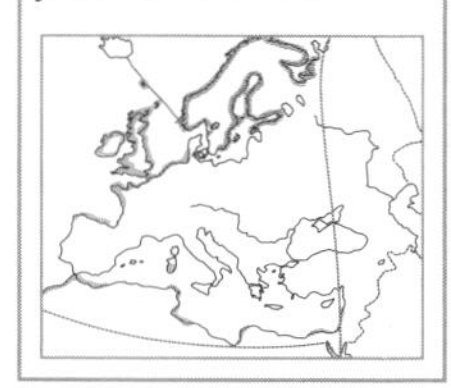

El distintivo plumaje de cría del vuelvepiedras, con su combinación de plumaje escamado, blanco y negro, se avista en Europa occidental, pero la mayoría de las aves que vemos muestran su plumaje invernal bastante menos espectacular. El nombre del ave describe con precisión sus hábitos de alimentación, cuando busca invertebrados debajo de las piedras y entre las algas.

En vuelo, el vuelvepiedras muestra más blanco en el dorso, alas y cola que cualquier otra zancuda que se pueda encontrar, excepto el ostrero y la avoceta.

Andarríos chico

DATOS

Nombre científico *Actitis hypoleucos*
Familia Escolopácidos
Largo 18-20,5 cm
Envergadura 32-35 cm
Nido Hueco en el suelo
Huevos 4, pardo, moteado de marrón
Nidadas 1 al año
Alimento Moluscos, crustáceos, insectos
Voz La llamada en vuelo es una serie rápida de notas claras, descendentes y silbantes. La llamada de alarma es un silbido arrastrado descendente. El canto en vuelo es gorjeante y se emite en vuelo bajo sobre el agua con las alas vibrantes.
Comparación Similar al correlimos común
Dónde se ve Visitante estival en Europa, el andarríos chico cría cerca del agua, en especial en graveras y costas de guijarros, con frecuencia en áreas boscosas. Es nativo de las regiones templadas más frías de Europa. Durante la migración, se pueden ver aves sueltas o pequeños grupos en diversas zonas cerca del agua.

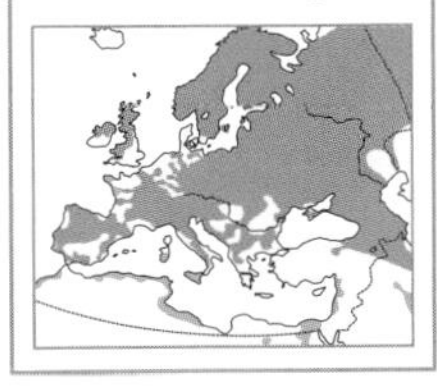

El andarríos chico muestra un cuerpo grande, con larga cola y patas bastante cortas. Hay un visible espacio en blanco entre las alas y el pecho oscuro.

Mueve la cola hacia arriba y hacia abajo.

Es una de las zancudas comunes más ampliamente distribuidas que, en función de la época del año, se puede ver en una gran variedad de hábitats de tierras húmedas, en especial cuando migra. Las cortas patas y su hábito de mover la cola hacia arriba y hacia abajo, son características de esta zancuda bastante lista.

En vuelo se observan barras alares evidentes.

SIMILARES

Ostrero (p. 146) Más grande. Blanco y negro. Pico rojo anaranjado.

Correlimos gordo (p. 142) Gris. Pico negro. Algo más grande.
Correlimos tridáctilo en plumaje de otoño **(p. 143)** Más pequeño. Dorso gris. Pico negro.
Correlimos común en plumaje de verano **(pp. 58-59)** Dorso marrón rojizo. Vientre negro. Pico curvado hacia abajo.

Ostrero

(ostra = oyster)

En invierno se observa un collar blanco y la punta del pico se vuelve oscura.

El adulto en verano es blanco y negro, excepto un largo pico rojo anaranjado, patas rosas y ojos rojos anaranjados.

DATOS

Nombre científico *Haematopus ostralegus*
Familia Hematopódidos
Largo 39-44 cm
Envergadura 72-83 cm
Nido Hoyo entre guijarros y arena
Huevos 3, pardo con manchas negras
Nidadas 1 al año
Alimento Moluscos, gusanos, crustáceos
Voz «Klip» agudo de largo alcance. El canto burbujeante lo emiten ambos sexos en vuelo y con frecuencia a la vez.
Comparación Más grande que el avefría, más pequeño que el zarapito
Dónde se ve Los ostreros crían en torno a las costas. Invernan en bandadas en torno a las costas, desde el sur de Escandinavia hacia el sur. Algunos crían en valles ribereños y en graveras.

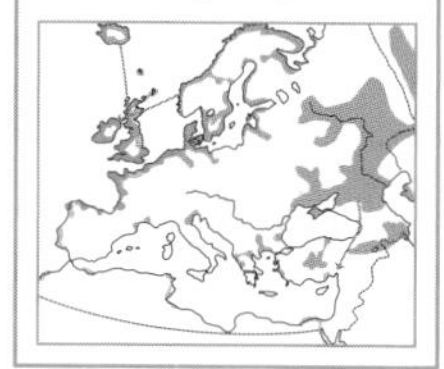

El plumaje blanco y negro y el largo pico rojo del ostrero hacen que sea muy difícil de confundir con otras especies. Es la zancuda más característica en torno a la costa durante todo el año. El pico robusto se utiliza para apresar moluscos de las rocas y para romper las conchas de bivalvos, como berberechos.

En vuelo, las alas muestran amplias barras alares blancas y se observa un gran obispillo blanco.

Avoceta común

Para encontrar su comida de pequeños crustáceos e insectos acuáticos, la avoceta barre la superficie del agua con el pico.

El adulto tiene un pico fino y curvado hacia arriba y largas patas azul claro. Tiene más o menos el mismo tamaño que un ostrero, pero es más esbelto y con patas visiblemente más largas.

La avoceta se reproduce en zonas europeas aisladas entre sí. En la península Ibérica anida en lagunas y marismas de la zona mediterránea. La mayor parte de las avocetas que se reproducen en el norte de Europa desciende al sur y suroeste para invernar. Lo que caracteriza a estas aves es que ninguna otra especie europea tiene un pico curvado hacia arriba.

En vuelo, el blanco de las alas contrasta con la cabeza, puntas de las alas y manchas en las alas negras.

DATOS

Nombre científico *Recurvirostra avosetta*

Familia Recurviróstridos

Largo 42-46 cm

Envergadura 67-77 cm

Nido Hoyo en islas

Huevos 4, crema, muy moteado y manchado de negro

Nidadas 1 al año

Alimento Insectos, crustáceos

Voz El agudo trino «klu-ep, klu-ep, klu-ep» tiene un tono resonante.

Comparación Algo más pequeño que el zarapito, más grande que la gaviota reidora

Dónde se ve Cría en aisladas colonias en costas llanas y abiertas, lagunas poco profundas y arenales. En invierno se encuentra en marismas y aguas salobres, con algunas que migran a las costas del Mediterráneo y africanas.

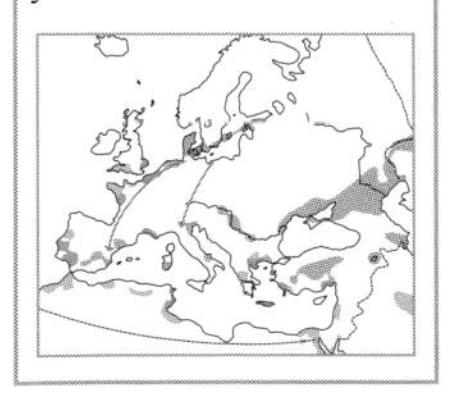

SIMILARES

Avefría (pp. 60-61) Más pequeña. Verde negruzco en dorso y alas. Penacho en la cabeza. Pico corto.

Vuelvepiedras (p. 144) Patas naranja cortas. Pico corto. Dorso moteado.

Zarapito real (pp. 56-57) Más grande. Pico curvado hacia abajo.

Gaviota reidora (pp. 64-65) Cabeza marrón chocolate. Pico rojo corto. Dorso gris.

Chorlitejo grande

chorlito= plover

DATOS

Nombre científico *Charadrius hiaticula*
Familia Carádridos
Largo 17-19,5 cm
Envergadura 35-41 cm
Nido Hoyo en el suelo.
Huevos 4, pardo, moteado de marrón
Nidadas 2-3 al año
Alimento Insectos, crustáceos, moluscos
Voz Suave llamada de dos sílabas, resaltando la primera sílaba y ascendente la segunda. El canto es una variante dulce de la llamada.
Comparación Similar al correlimos común
Dónde se ve Cría en guijarros sobre costas abiertas, graveras y ríos del norte de Europa, invernando en las islas Británicas, costa del mar del Norte, Mediterráneo y más al sur.

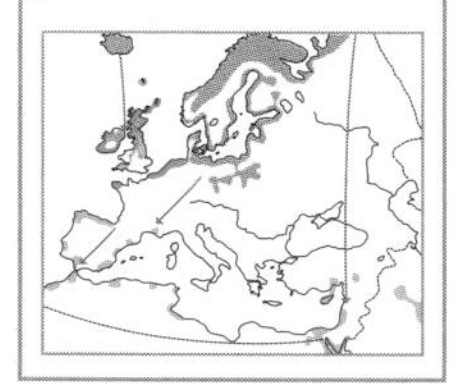

En invierno, las marcas son menos visibles y el pico es marrón oscuro, pero las patas siguen siendo naranjas.

El adulto en verano tiene marcas negras en la parte superior del pecho, marcas faciales blancas y negras, patas naranjas y un corto y grueso naranja con punta negra. Obsérvese que la punta de las alas llega casi hasta la punta de la cola cuando está en reposo.

El chorlitejo grande y el chorlitejo chico son muy parecidos, lo que no constituye por lo general un problema de identificación porque suelen ocupar hábitats diferentes, pero se solapan en Inglaterra, donde ambos crían en graveras donde hay zonas abiertas de guijarros. El chorlitejo grande está más extendido en el norte de Europa. Al igual que otros chorlitos, la hembra distrae a los depredadores para que no se fijen en las crías simulando que tiene un ala herida.

Las claras barras alares se muestran bien en vuelo.

Chorlitejo chico

El adulto en verano tiene un aspecto más esbelto que el chorlitejo grande, porque tiene patas más largas y más esbeltas, pico más oscuro y más largo y obispillo y cola más finos.

Obsérvese el anillo ocular en torno a los ojos y la estrecha banda clara en la cabeza. La cola se extiende más allá de las puntas de las alas en reposo.

DATOS

Nombre científico *Charadrius dubius*
Familia Carádridos
Largo 15,5-18 cm
Envergadura 32-35 cm
Nido Hoyo en el suelo.
Huevos 4, pardo, moteado y manchado de negro
Nidadas 1-2 al año
Alimento Insectos, moluscos, crustáceos
Voz La llamada es una nota breve y descendente «piu».
Comparación Más pequeño que el correlimos, similar al estornino
Dónde se ve Visitante estival que suele llegar a Europa en abril y parte en septiembre, después de criar en hábitats de grava y arena en las orillas de los ríos y lagos, incluidas graveras, estanques y salinas. Migra a África, donde prefiere el agua dulce a las marismas costeras. La descripción de «chico» no es muy precisa porque sólo es ligeramente más pequeño que el chorlitejo grande.

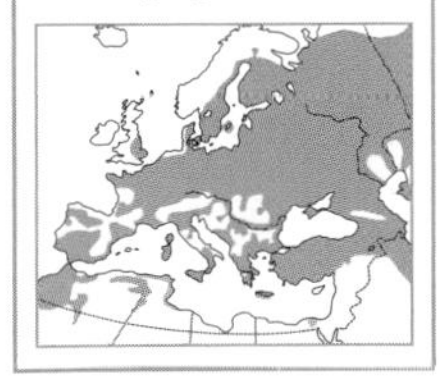

El adulto en invierno tiene un patrón de plumaje menos definido, con las marcas de la mejilla que llegan a un punto en lugar de ser redondeadas (como en el chorlitejo grande).

Esta especie es propia de Europa y de Asia que inverna en África. Vive en áreas cercanas a zonas de agua estancada y forma su nido en terrenos arenosos o de grava. Cría en zonas de aguas dulces, como lagos y ríos con presencia de guijarros. Durante el invierno, prefiere los arenales de las playas. En otras partes de Europa, puede criar en guijarros de grandes ríos.

En vuelo, la barra alar es tan fina que puede ser invisible y el collar blanco es muy estrecho.

SIMILARES

Vuelvepiedras en invierno **(p. 144)** Más encorvado. Dorso moteado. Pico con forma de cuña. Muy poco blanco en la cara.

Avefría (pp. 60-61) Más alta. Cresta. Naranja debajo del pico.

Correlimos común en plumaje estival **(pp. 58-59)** Más grande. Pico negro, curvado hacia abajo. Vientre negro.

Correlimos común en invierno **(pp. 58-59)** Más grande. Pico negro, curvado hacia abajo.

Frailecillo

En invierno, el pico se vuelve más pequeño y la cara más gris.

En verano, el adulto tiene la cara blanca, pico rojo, azul y amarillo con patas y pies naranjas.

DATOS
Nombre científico *Fratercula artica*
Familia Álcidos
Largo 28-34 cm
Envergadura 50-60 cm
Nido Madriguera en acantilados escarpados, con hierbas
Huevos 1, blanco.
Nidadas 1 al año
Alimento Peces, crustáceos, moluscos
Voz La llamada, emitida desde su madriguera, es un profundo gruñido «arr-uh».
Comparación Más pequeño que el arao
Dónde se ve Crían en colonias, en las laderas sobre acantilados en las costas e islas del Atlántico y Ártico, desde el norte de España a Nueva Zembla, y de Groenlandia a Nueva Inglaterra. Llegan a sus colonias de cría en marzo y las dejan a comienzos de agosto para pasar el invierno en el mar, en el Atlántico.

Al igual que otros alcas, el frailecillo tiene alas comparativamente cortas y estrechas y en vuelo parecen negras (sin el extremo blanco) desde arriba y muestra una mancha grisácea en los flancos.

A corta distancia, el frailecillo es inconfundible debido a su aspecto de payaso, por lo que se le conoce también como «payaso de los océanos». En vuelo se puede confundir con otras alcas comunes, como el arao y el alca común, que son más grandes y parecen más largas. Aunque el frailecillo es numeroso, está restringido a colonias relativamente escasas en los acantilados de ambos lados del Atlántico. Cuando pesca, se zambulle desde la superficie y usa las alas para volar bajo el agua en busca de pequeños peces.

Se pueden obtener buenas vistas de los frailecillos en las colonias de cría cuando regresan a las madrigueras con alimento para las crías.

Alca común

El adulto tiene la cabeza, dorso y alas negros y un pico corto hondo con una estrecha franja blanca descendente en cada lado.

En invierno el mentón y parte de la cabeza se vuelven blancos.

DATOS

Nombre científico *Alca torda*

Familia Álcidos

Largo 38-43 cm

Envergadura 60-69 cm

Nido Grieta entre rocas

Huevos 1, con manchas marrones variables

Nidadas 1 al año

Alimento Peces, crustáceos, moluscos

Voz Raramente profiere llamadas, pero las aves en reproducción pueden emitir gruñidos muy profundos.

Comparación Similar al arao

Dónde se ve Muchos alcas regresan entre finales de febrero y abril a sus áreas de cría en los acantilados. En agosto muchos se desplazan desde las áreas de cría al Atlántico Norte, pero otros muchos regresan pronto a sus áreas de reproducción.

Es el más silencioso de los alcas que suelen criar en el norte de Europa. Se encuentran en colonias de otras especies de alcas y gaviotas, pero los alcas comunes suelen diferenciarse entre sí, anidando en un pedregal, con frecuencia debajo de los ruidosos araos abigarrados en los salientes de los acantilados. El cuello parece bastante más grueso que el de los araos.

En vuelo, el alca común parece negro desde arriba con blanco claramente visible a cada lado del obispillo. El área interior de las alas es blanco (comparado con la «axila» manchada del arao).

SIMILARES

Arao común en vuelo **(pp. 62-63)** Parece marrón chocolate en vuelo. Pico apuntado.

Arao común (pp. 62-63) Dorso y alas marrones. Pico apuntado.

Gaviota sombría (p. 156) Alas más largas con bordes blancos. Cabeza blanca.

Ostrero en vuelo **(p. 146)** Plumaje blanco más extenso. Pico rojo anaranjado vivo.

Fulmar boreal

El fulmar en su nido tiene un aspecto bastante voluminoso. El pico, que tiene una punta ganchuda, parece grueso debido a los tubos nasales.

En vuelo, las alas se mantienen rígidas. Hay distintas variaciones de color: ésta es una fase oscura, una variante que es más común entre las poblaciones más septentrionales.

DATOS

Nombre científico *Fulmarus glacialis*
Familia Proceláridos
Largo 43-52 cm
Envergadura 101-117 cm
Nido En salientes y madrigueras
Huevos 1, blanco.
Nidadas 1 al año
Alimento Crustáceos, peces y despojos de peces
Voz Llamadas guturales y cacareantes, casi siempre en las colonias de cría
Comparación Similar al arao
Dónde se ve Cría en salientes, madrigueras y en edificios sobre acantilados costeros para pasar el resto del año en el Atlántico Norte y en el mar del Norte.

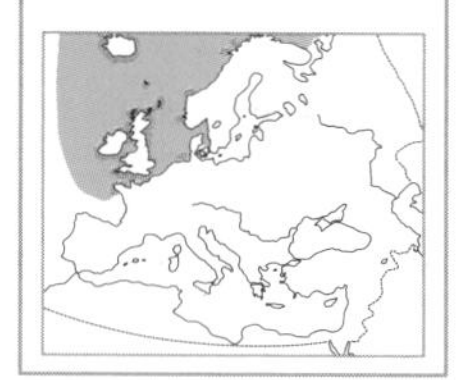

Hasta comienzos del siglo XX, el fulmar boreal estaba confinado como ave de cría a los acantilados de Islandia, las Feroe y Noruega, pero la población aumentó con rapidez y ahora cría en acantilados costeros del sur de Gran Bretaña. En la península Ibérica aparece en poblaciones reducidas como invernante. A pesar de su parecido superficial con las gaviotas, su forma es bastante característica. Las alas estrechas con bordes paralelos se mantienen rígidas cuando planea por las corrientes de aire ascendentes, raramente aleteando sus alas. La elevada y redondeada frente con un pico ganchudo y el tubo nasal y el grueso cuello le da una expresión muy diferente a la de cualquier gaviota.

Al nadar, el cuello parece más grueso que el de la gaviota y el pico es destacadamente grueso. Es una especie longeva y algunos ejemplares llegan a vivir más de 50 años.

Gaviota tridáctila

En verano, el adulto en vuelo muestra las alas grises con puntas muy negras, como si se hubieran impregnado de tinta negra.

El adulto tiene patas negras bastante cortas, pico apuntado amarillo verdoso, cola con muesca y una expresión bastante «dulce».

Esta gaviota, que es algo más grande que la gaviota reidora, rara vez se ve lejos del mar. Sus aleteos rápidos y rígidos recuerdan a los del charrán, pero la punta de las alas son negras. Las alas son de color gris suave en el plumaje de cría. Cría en colonias, y algunas contienen varios miles de parejas.

En invierno, las alas muestran dos tonos de grises y hay una mancha oscura en la nuca.

El juvenil tiene marcas en «V» oscuras bien definidas en las alas y hay una forma de luna creciente negra en la punta de la cola.

DATOS

Nombre científico *Rissa tridactyla*
Familia Láridos
Largo 37-42 cm
Envergadura 62-69 cm
Nido Taza de algas en salientes de acantilados
Huevos 2, pardo, moteado, crema
Nidadas 1 al año
Alimento Peces, crustáceos, despojos de peces
Voz La llamada es un rápido, nasal, repetido «kitti-waake» con el énfasis en la segunda sílaba.
Comparación Similar a la gaviota reidora, más pequeña que el arao.
Dónde se ve Esta gaviota, que cría en colonias, pasa gran parte del año en el mar. LLega a la costa para criar en los abruptos acantilados desde el norte de Escandinavia a Gran Bretaña, con dos colonias aisladas en Portugal.

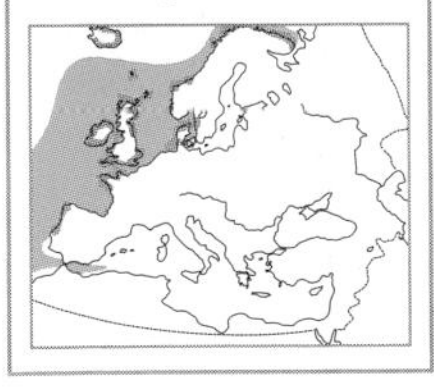

SIMILARES

Gaviota argéntea (p. 155) Grande. Mancha blanca en la punta negra de las alas

Gaviota cana (p. 154) Mancha blanca en punta negra de las alas.

Gaviota reidora en invierno **(pp. 64-65)** Amplio borde blanco en parte delantera de alas. Alas menos apuntadas.

Gaviota cana

En vuelo se observa una gran área blanca en la punta de las alas.

El adulto en verano tiene un pico apuntado amarillo verdoso, ojos oscuros y patas verde amarillentas con una amplia banda blanca entre el gris de las alas y puntas negras en las alas.

DATOS

Nombre científico *Larus canus*

Familia Láridos

Largo 40-46 cm

Envergadura 99-108 cm

Nido Hoyo revestido en el suelo

Huevos 3, verdoso claro, con manchas marrones

Nidadas 1 al año

Alimento Invertebrados

Voz Llamada «ki-ah» reidora de tono más alto que la gaviota argéntea

Comparación Algo más grande que la gaviota reidora

Dónde se ve Cría en colonias y a veces de manera individual en las costas, en marismas, junto a ríos y en aguas interiores desde Irlanda a Escandinavia y a Asia. Anida en rocas y en otras posiciones elevadas. Gran Bretaña e Irlanda son las principales áreas de invernación, con grupos aislados invernantes en el este del Mediterráneo y más al sur.

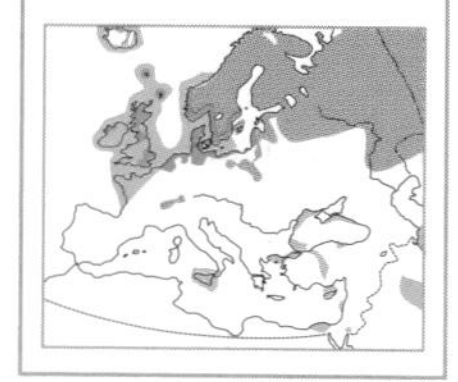

Esta gaviota no es muy frecuente en Europa, y durante el invierno hay una pequeña población en la península Ibérica. Cría en el centro y norte de Eurasia, y en el noreste de Norteamérica. Se suele ver en invierno en bandadas con gaviotas reidoras descansando o alimentándose en campos de deportes y praderas.

El adulto en invierno tiene listas grises poco definidas en la cabeza.

El inmaduro tiene bandas menos definidas que el inmaduro de la gaviota argéntea.

Gaviota argéntea

El juvenil es moteado con manchas claras en las puntas de las terciarias.

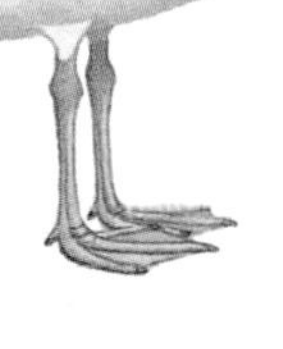

El adulto tiene ojos claros, un fuerte pico amarillo con un círculo rojo, patas rosas y grandes manchas blancas en las puntas de las alas al doblarse.

Una de las gaviotas más familiares, la gaviota argéntea, es la gaviota arquetípica, aunque se suele ver con frecuencia tierra adentro en bandadas en campos abiertos, estanques y lagos. Hay diferencias considerables en los plumajes de las grandes gaviotas de edades diferentes. El plumaje completo del adulto no es evidente hasta el segundo invierno.

En vuelo, el juvenil (izquierda) muestra una mancha clara en las alas y sólo hay un moderado contraste entre el obispillo y la banda de la cola (ver Gaviota sombría).

DATOS

Nombre científico *Larus argentatus*

Familia Láridos

Largo 54-60 cm

Envergadura 123-148 cm

Nido Taza de vegetación en salientes de acantilados, edificios o suelo

Huevos 2-3, verdoso claro, con manchas marrones

Nidadas 1 al año

Alimento Omnívoro

Voz La estridente llamada «kiou» de la gaviota argentea es un sonido muy familiar de las ciudades costeras.

Comparación Más grande que la gaviota reidora

Dónde se ve Cría en las costas del mar del Norte y el mar Báltico y en tierra adentro en Escandinavia y en el oeste de Rusia. La población oriental se desplaza al suroeste en invierno y varias de las aves de cría costeras de Gran Bretaña se desplazan tierra adentro para alimentarse en los campos de cultivo y para posarse en lagos, graveras y estanques.

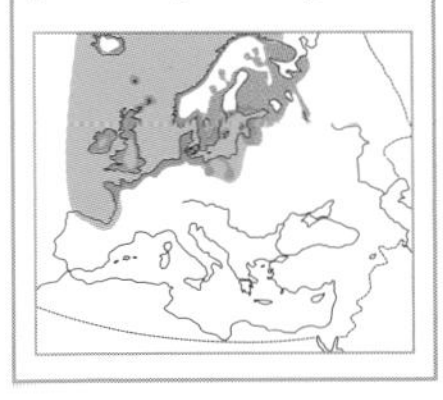

SIMILARES

Gaviota tridáctila (p. 153) Más delicada. Alas uniformemente grises. Puntas de las alas muy negras.

Fulmar boreal (p. 152) Alas estrechas rectas. Cabeza redondeada. Tubo nasal.

Gaviota reidora en invierno **(pp. 64-65)** Más pequeño. Alas apuntadas. Borde delantero blanco en las alas.

Gaviota sombría (p. 156) Cabeza más oscura.

Gaviota sombría inmadura **(p. 156)** Punta de alas más oscura. Contraste entre obispillo y banda de la cola.

Gaviota sombría

DATOS

Nombre científico *Larus fuscus*
Familia Láridos
Largo 48-56 cm
Envergadura 117-134 cm
Nido Hoyo revestido en el suelo
Huevos 3, con manchas oscuras, oliva
Nidadas 1 al año
Alimento Omnívoro
Voz Llamada similar a la gaviota argéntea, pero más profunda y más nasal.
Comparación Más grande que la gaviota reidora
Dónde se ve Cría por las costas y en torno a los lagos en el norte de Europa. Las que crían en Escandinavia y Rusia invernan en Oriente Medio y África, migrando por Europa junto a valles de los ríos, mientras que los criadores del oeste europea se alejan más y muchas invernan en Gran Bretaña e Irlanda, moviéndose hacia el interior a campos, vertederos y aguas interiores.

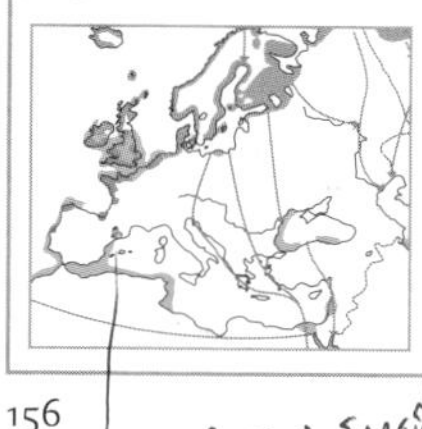

Los juveniles son marrón grisáceos (y similares a las gaviotas argénteas juveniles) y las puntas de las áreas en torno a los ojos suelen ser oscuras.

El adulto en verano tiene el dorso y alas grises pizarra oscuro, pico amarillo con mancha roja y patas amarillas.

La raza que cría en torno al Báltico es gris pizarra muy oscuro y se puede ver en Gran Bretaña en invierno.

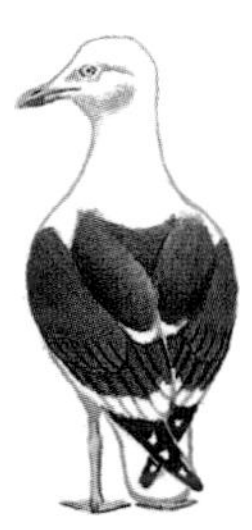

De tamaño similar a la gaviota argéntea, tiene un aspecto similar con la excepción del dorso y alas más oscuras. Hay similitudes con el gavión, que es más grande, más voluminoso y de aspecto más agresivo que la gaviota sombría. Las gaviotas sombrías se ven tierra adentro. Es un pirata de las playas, un carroñero que sigue a los barcos pesqueros en busca de desechos.

En vuelo, el inmaduro no muestra manchas claras en las alas...

... el del segundo invierno tiene dorso oscuro todavía con cierto moteado visible...

... el adulto tiene un borde de las alas discontinuo hacia las puntas de los bordes de las alas.

Gavión

El juvenil tiene plumaje moteado con mayor contraste que la gaviota sombría. Obsérvese el grueso pico negro.

El gavión es mucho más voluminoso que la gaviota sombría. Tiene un destacado pico amarillo grueso con un punto rojo, grandes marcas blancas en las alas dobladas y patas rosa-azulado.

DATOS

Nombre científico *Larus marinus*

Familia Láridos

Largo 61-74 cm

Envergadura 144-166 cm

Nido Pila de ramas y algas en el suelo

Huevos 2-3, moteado de marrón, marrón verdoso

Nidadas 1 al año

Alimento Aves marinas, despojos, carroña

Voz Versión más profunda, ronca y áspera de la llamada de la gaviota argéntea y gaviota sombría

Comparación Algo más pequeño que el cormorán, mucho más grande que la gaviota reidora.

Dónde se ve Cría en torno a las costas de Islandia, Escocia, Gales, suroeste de Inglaterra y Escandinavia e inverna en el mar del Norte. A veces se ve en la península Ibérica durante las migraciones. Por lo general se ve en la costa, pero también tierra adentro.

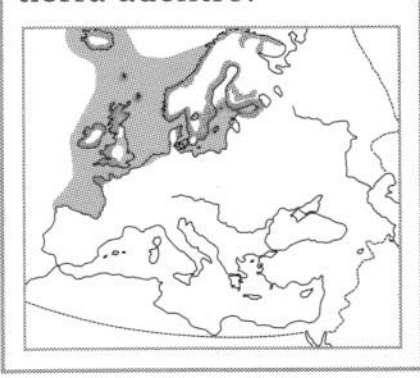

Es una gaviota que realmente se merece el aumentativo de su nombre porque es casi tan grande como un ánsar común. Es un depredador fiero, que ataca a aves tanto adultas como juveniles, y un pirata que roba comida de otras aves como cormoranes, patos marinos y garzas reales. El pico es mucho más grande que el de otras gaviotas.

SIMILARES

Gaviota argéntea (p. 155) Dorso gris. Patas rosas.

Gaviota argéntea inmadura **(p. 155)** Bordes moteados en las plumas terciarias.

Fulmar boreal (p. 152) Alas estrechas y rectas. Tubo nasal.

Arao común (pp. 62-63) Extenso plumaje oscuro. Pico apuntado. Postura erguida.

En vuelo, el adulto tiene alas amplias con un ancho margen blanco por todo el borde de las alas y con una mancha blanca hacia la punta de las alas.

En vuelo, las alas del juvenil son oscuras hacia las puntas y más claras más cerca del cuerpo.

Charrán ártico

El adulto en verano tiene el pico rojo oscuro (sin punta negra), patas rojas muy cortas, largas rectrices de la cola y el pecho grisáceo que contrasta con las mejillas blancas visibles.

El juvenil (arriba) tiene más negro en la cabeza que el charrán común y por lo general menos marrón en el dorso.

DATOS

Nombre científico *Sterna paradisaea*
Familia Láridos
Largo 33-39 cm (incl. rectrices de la cola de 7-11,5 cm)
Envergadura 70-80 cm
Nido Hoyo en el suelo
Huevos 2, pardo, con manchas marrones
Nidadas 1 al año
Alimento Peces
Voz Notas de trino «kii-er» claras y repetidas, similares al charrán común, pero más abruptas.
Comparación Similar al charrán común
Dónde se ve Visitante estival de Europa desde finales de abril a octubre, donde cría habitualmente en colonias en torno a costas, en islas, marismas, dunas, tundra y laderas montañosas inhóspitas. Inverna en el sur de África.

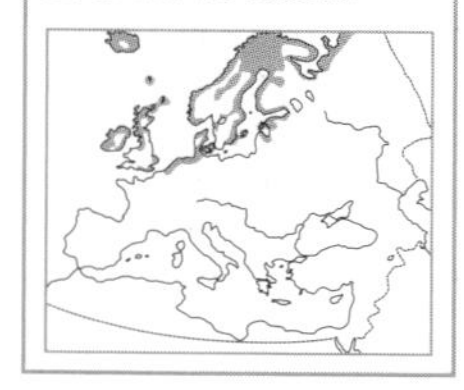

Las largas rectrices de la cola del charrán ártico convierte en muy apropiado el nombre vernáculo de «golondrina de mar». Es similar al charrán común (ver pp. 66-67) y cuando los observadores de aves no tienen una vista suficientemente buena para ver claramente las características, pueden describir al ave no identificado como un «charrán cómico». Sin embargo, con buenas vistas suele ser posible distinguir a ambas especies. Los charranes árticos rara vez se ven tierra adentro. El charrán ártico migra a Sudáfrica en otoño, convirtiéndolo en uno de los campeones de las migraciones a larga distancia.

En vuelo, la parte interior de la punta de las alas muestra una marca estrecha, visible y oscura.

Charrán patinegro

El juvenil tiene una corta cola (las alas son más largas cuando se doblan), patas negras y dorso gris barrado.

El adulto en verano tiene píleo negro con cresta greñuda, pico negro con punta amarillo claro, patas y alas negras que llegan hasta la punta de la cola cuando se pliegan.

La cresta greñuda del charrán patinegro le diferencia de las otras especies atlánticas de charranes. Es más grande y cuando se alimenta, se zambulle desde una distancia mayor que los charranes comunes o árticos. Cría en colonias en costas bajas.

En vuelo, se observa la cola corta ahorquillada, una cuña más oscura en la punta de las alas con una marca oscura débil en la parte interior (de junio o julio se desarrolla una frente blanca y la cresta es menos greñuda).

DATOS

Nombre científico *Sterna sandvicensis*

Familia Láridos

Largo 37-43 cm

Envergadura 85-97 cm

Nido Hoyo en el suelo

Huevos 1-2, pardos, moteados en marrón

Nidadas 1 al año

Alimento Peces

Voz Agudo «kerrick» con acento en la última sílaba (se ha descrito como el sonido de la amalgama presionada contra un diente). Muy ruidoso en las colonias de cría.

Comparación Más grande que el charrán común, similar a la gaviota reidora

Dónde se ve Visitante estival en el norte de Europa desde finales de marzo a últimos de septiembre, criando en colonias en las playas arenosas, islas bajas en agua salada o salobre. Inverna en el sur de Europa y norte de África. Rara vez se ve tierra adentro.

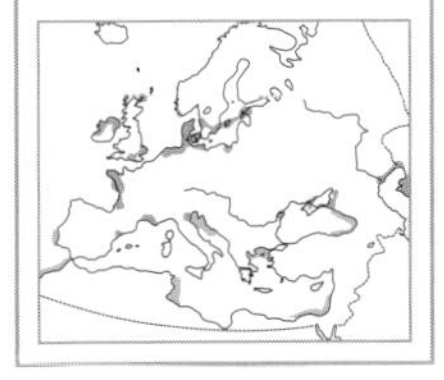

SIMILARES

Charrán común en verano **(pp. 66-67)** Punta negra en el pico. Cabeza grande. Más blanco en pecho. Patas más largas.

Charrán común en vuelo, verano **(pp. 66-67)** Primarias interiores traslúcidas. Mancha oscura en parte interior de la punta de las alas.

Charrán común en invierno **(pp. 66-67)** El pico parece más corto que el del charrán ártico.

Gaviota reidora en verano **(pp. 64-65)** Cabeza marrón oscuro. Más grande.

Focha común

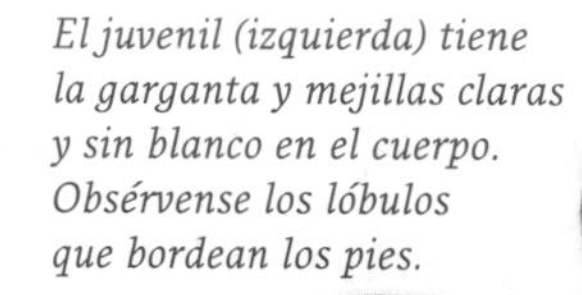

El juvenil (izquierda) tiene la garganta y mejillas claras y sin blanco en el cuerpo. Obsérvense los lóbulos que bordean los pies.

En el agua, la focha tiene un aspecto más redondeado que la gallineta (ver pp. 68-69) y mueve la cabeza con menos nerviosismo. Obsérvese el pico blanco y el escudo facial que se extiende desde él.

En el vuelo corto, la focha estira las patas hacia atrás.

Esta rechoncha ave es acuática ruidosa y común que vive en la mayor parte de Europa, Asia, Australia y norte de África. Se alimenta de una variedad de comida, gran parte de la cual encuentra sumergiéndose en el agua. En invierno se ven en grandes bandadas. En primavera y a comienzos del verano defendiende con vigor sus territorios.

Los rivales luchan con las patas y mantienen el equilibrio con las alas entre grandes chapuzones.

El polluelo es esponjoso y de cabeza roja.

DATOS

Nombre científico *Fulica atra*

Familia Rálidos

Largo 36-42 cm

Envergadura 70-80 cm

Nido Taza de vegetación entre las plantas del borde del agua.

Huevos 6-9, pardo con manchas negras

Nidadas 2 al año

Alimento Omnívoro, sobre todo plantas

Voz Llamadas variadas que incluyen un «kuk» ronco y agudo

Comparación Más grande que la gallineta, más pequeño que el ánade real

Dónde se ve Ampliamente distribuido por toda Europa. Las aves que crían en el oriente se mueven al oeste en invierno y grandes bandadas construyen en puertos y aguas interiores en Europa occidental. Su hábitat preferido son las grandes extensiones de agua y amplios ríos de curso lento.

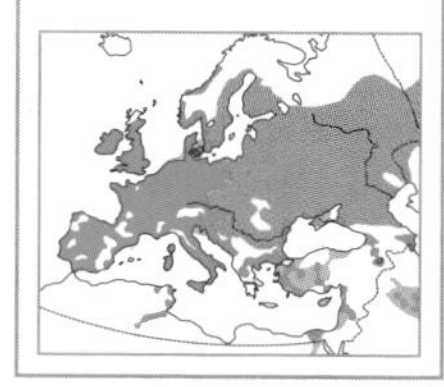

Zampullín común

En invierno la garganta se aclara. Obsérvese la cabeza redondeada y pico corto.

El adulto en verano tiene garganta y cuello castaños con piel amarilla visible en torno al pico.

DATOS

Nombre científico *Tachybaptus ruficollis*
Familia Podicipédidos
Largo 23-29 cm
Envergadura 40-45 cm
Nido Pila flotante de vegetación anclada en las plantas emergentes
Huevos 4-6, blanco
Nidadas 2 al año
Alimento Peces, insectos acuáticos, crustáceos y moluscos
Voz Trino veloz de nota alta durante la época de cría, que suena como el del ♂ del cuco. Fuera de esta época, es silencioso.
Comparación Más pequeño que la gallineta
Dónde se ve Cría por toda Europa, desde Irlanda a Rusia y hasta el sur de Suecia. Principalmente residente en el oeste con criadores orientales que se mueven al oeste en otoño. Necesita ríos y cursos de agua con bancos con abundante vegetación.

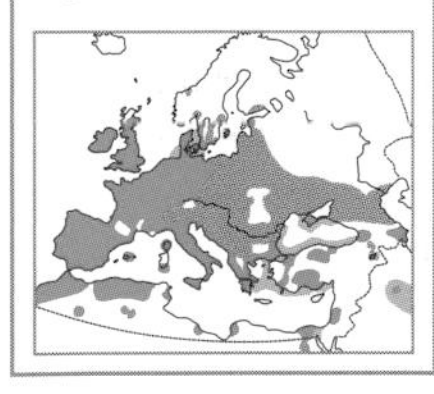

El polluelo tiene la cabeza barrada y pico rosáceo.

El zampullín común es una de las tres especies de zampullines que se puede observar en la península Ibérica. A veces se ve sobre el agua, balanceándose como si fuera un pato de goma, sobre todo cuando su plumaje está inflado. Se zambulle en busca de alimento y aparece a varios metros de distancia. Durante la época de cría, a pesar de su plumaje bastante elegante, el zampullín chico es discreto, lo que significa que es más probable que se vea en invierno.

El nido es una masa flotante de vegetación.

SIMILARES

Gallineta común (p. 68) Cola erguida, nada moviendo la cabeza.

Somormujo lavanco (pp. 72-73) Largo cuello, pico puntiagudo, cara con plumas colgantes.

Porrón moñudo ♀ (p. 166) Pico de pato, cabeza muy redonda.

Porrón europeo ♀ (p. 167) Pico de pato, cabeza muy redonda.

Cuchara común

El ♂ tiene la cabeza verde con ojos amarillos, pecho blanco y lados y zona ventral castaños.

La ♀ es moteada y se parece más a un ánade real hembra con un pico muy grande.

A finales del verano, el ♂ muda a plumaje eclipse y se parece a la ♀, pero con cabeza más oscura.

Nombre científico *Anas clypeata*
Familia Anátidos
Largo 44-52 cm
Envergadura 73-82 cm
Nido Depresión en hierba cerca del agua
Huevos 8-12, pardo
Nidadas 1 al año
Alimento Semillas, material vegetal, moluscos, crustáceos
Voz La llamada del ♂ es un «tuk, tuk» chillón, mientras que la ♀ grazna.
Comparación Más pequeño que el ánade real, similar al somormujo lavanco
Dónde se ve Cría por las costas de los lagos poco profundos y en marismas de agua abierta en Europa. Se desplaza al sur en invierno a Europa occidental y el Mediterráneo. Por lo general se avista en torno a los márgenes de lagos en invierno en pequeñas bandadas o solos.

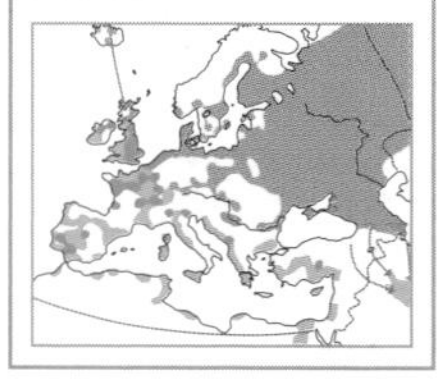

El gran pico plano de la cuchara común contiene una disposición compleja de filtros, con los que captura el material flotante cuando tamiza el agua. Se alimenta pasando el pico por la superficie del agua. Es un pato que come en la superficie y al flotar parece como que la parte frontal le pesara más. Elige las partes menos profundas de los lagos, en donde encuentra sustento. Esta ave suele ser migratoria.

En vuelo, el ♂ muestra azul claro en la parte delantera de las alas.

En vuelo, la ♀ muestra gris en la parte delantera de las alas. Obsérvese el extremo trasero rechoncho y la fuerte cabeza contrastante y pico largo.

Para alimentarse, pasa el pico por el agua, justo debajo de la superficie.

Tarro blanco

En vuelo, la parte delantera de las alas blancas contrasta con el resto del ala oscura.

El ♂ tiene la cabeza verde botella oscuro, una amplia banda castaña en torno al pecho y pico rojo con una pronunciada protuberancia basal.

La ♀ tiene la cabeza verde botella oscuro, una amplia banda castaña en torno al pecho y pico rojo sin protuberancia basal.

DATOS

Nombre científico
Tadorna tadorna
Familia Anátidos
Largo 55-65 cm
Envergadura
100-120 cm
Nido Taza revestida de plumón en una madriguera u oquedad de un árbol.
Huevos 8-15 crema
Nidadas 1 al año
Alimento Crustáceos, moluscos
Voz El ♂ emite una alta llamada de silbido cuando persigue a la ♀ en vuelo. La ♀ emite una especie de relincho nasal.
Comparación Más grande que el ánade real, más pequeño que el cormorán
Dónde se ve Es sobre todo un pato costero que cría en toda Europa. Algunos se pueden encontrar por los ríos más grandes y en lagos. Puede criar a cierta distancia del agua y desplazar a los jóvenes a la costa, después de que hayan salido del huevo. A finales del verano, grandes cantidades se reúnen en unos pocos estuarios y marismas.

Este pato tiene un aspecto bastante parecido a un ganso. Se mantiene erguido y se balancea al andar, como los patos. De cerca, es posible diferenciar los machos de las hembras. A distancia, puede parecer blanco y negro. En las marismas se pueden ver grandes cantidades de cucharas jóvenes con adultos.

Se alimenta de moluscos que extrae de la superficie del barro.

SIMILARES

Ánade real ♀ (pp. 70-71) Cabeza verde metalizada. Pico amarillo. Sin blanco en el cuerpo.

Cerceta ♂ (p. 164) Pequeña y vivaz.
Ánade real ♀ (pp. 70-71) Menos moteado, pico más pequeño.
Silbón europeo ♂ (p. 165) Cabeza marrón, frente amarilla. Pico pequeño y curvado hacia arriba.

Cerceta

La ♀ tiene un plumaje de moteado atractivo. En cada ala se observa una mancha verde brillante llamada «espéculo».

El ♂ es sobre todo gris con pecho pardo moteado, un triángulo amarillo crema en la parte posterior y una franja horizontal blanca.

DATOS

Nombre científico *Anas crecca*
Familia Anátidos
Largo 34-38 cm
Envergadura 53-59 cm
Nido Hoyo revestido de plantas
Huevos 8-12, pardo crema
Nidadas 1 al año
Alimento Semillas, plantas acuáticas
Voz El ♂ tiene un silbido claro y de nota alta y la ♀ grazna.
Comparación Más pequeña que el ánade real, ligeramente más grande que la gallineta
Dónde se ve La mayoría de las cercetas de Europa crían al norte de Francia, con las poblaciones más septentrionales y orientales desplazándose al sur en invierno. Cría en lagos y lagunas de agua dulce y salobres y en costas con abundante vegetación.

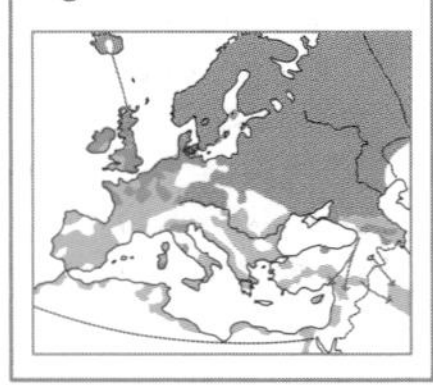

Es uno de los patos más pequeños que se encuentran en Europa, sólo ligeramente más grande que la gallineta. El delicado dibujo de la cabeza del macho y el triángulo amarillo crema debajo de la cola es lo que más fácilmente se ve cuando las aves están cerca (desde un puesto de observación en una reserva natural). Cuando sale volando, las cercetas saltan en el aire casi en vertical.

La cerceta se alimenta chapoteando en la superficie, ya sea nadando o caminando sobre aguas poco profundas. Este es un ♂ en plumaje eclipse.

En vuelo, las alas son estrechas y puntiagudas, con las que aletea con rapidez. Obsérvese el espéculo verde en las alas.

Silbón europeo

El ♂ tiene la cabeza rojiza con frente amarilla, pecho rosa claro y cuerpo gris con parte posterior negra y blanca.

La ♀ es canela por encima y debajo con el extremo posterior moteado claro.

DATOS

Nombre científico *Anas penelope*
Familia Anátidos
Largo 42-50 cm
Envergadura 71-85 cm
Nido Hueco recubierto
Huevos 7-8 crema
Nidadas 1 al año
Alimento Plantas y semillas
Voz El ♂ tiene un silbido largo y alto. La ♀ emite un gruñido callado.
Comparación Algo más pequeño que el ánade real
Dónde se ve Cría en el norte de Europa en los lagos de bosques, lagunas de la tundra y marismas. Inverna por las costas europeas y en lagos tierra adentro en bandadas. Es uno de los patos que ya no cría en España, aunque es abundante en invierno.

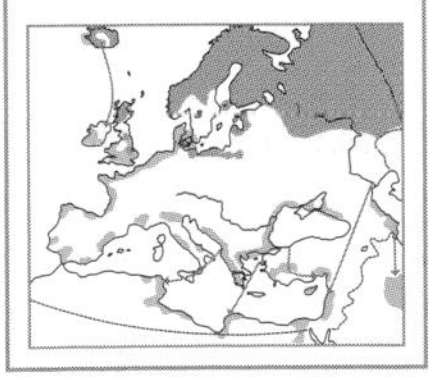

En invierno los silbones se suelen ver alimentándose en bandadas cerca del agua.

La frente alta y redondeada y el pico azul claro dan al silbón europeo un aspecto bastante dulce. La parte delantera amarillo crema de la cabeza contrasta con la cabeza y cuello rojizos en el macho. La hembra es menos moteada que otros patos hembra. La cola se afila de manera elegante.

En vuelo el ♂ tiene manchas blancas en las alas muy visibles. Ambos sexos tienen el pecho blanco. La cabeza es prominente y se observa una cola puntiaguda.

SIMILARES

Ánade real ♂ **(pp. 70-71)** Cuello más largo. Cabeza verde lisa.

Ánade real ♀ **(pp. 70-71)** Cuello más largo. Espéculo azul.

Porrón europeo ♀ **(p. 167)** Más grande. Pico aplanado. Bucea a poca profundidad.

Gallineta común **(pp. 68-69)** Cuerpo grande, cabeza pequeña.

Zampullín común **(p. 161)** Pequeño. Rechoncho.

Porrón moñudo

El ♂ en eclipse es visiblemente más marcado que la ♀.

El ♂ en plumaje de cría tiene un penacho largo.

La ♀ es marrón, con flancos más pálidos que recuerdan el patrón del plumaje del ♂. Hay una cantidad variable de blanco en la cara.

Ambos sexos muestran amplias barras alares blancas en vuelo. Obsérvense las alas puntiagudas y los aleteos rápidos.

DATOS

Nombre científico *Aythya fuligula*

Familia Anátidos

Largo 40-47 cm

Envergadura 65-72 cm

Nido Hueco bien oculto recubierto

Huevos 5-12, verdosos

Nidadas 1 al año

Alimento Plantas acuáticas e invertebrados

Voz Bastante silencioso, pero el ♂ tiene una serie burbujeante de notas aceleradas. La ♀ gruñe.

Comparación Más pequeña que el ánade real, más grande que la gallineta.

Dónde se ve Cría en una amplia variedad de hábitats húmedos, desde charcas de la tundra a lagos de los parques municipales desde Francia a Islandia. Casi todas las poblaciones son migratorias, desplazándose al sur y al oeste en otoño. También hay poblaciones que invernan en Europa occidental.

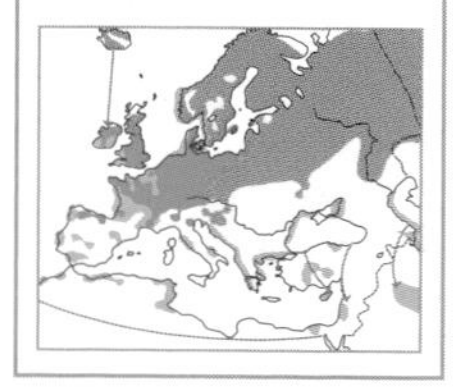

La forma redondeada con la gran cabeza redondeada y el cuello bastante fino es característica. El largo penacho del macho es muy visible, pero también se observa un penacho en la mayoría de las hembras. Fuera de la época de cría, las con frecuencia densas bandadas contienen tanto machos como hembras.

♀ con polluelos marrón chocolate.

♂ zambulléndose en la superficie.

Porrón europeo

La ♀ tiene el dorso y flancos marrón grisáceo, pecho marrón oscuro, cara marrón con anillo ocular claro desde el ojo y una banda gris en el pico (los juveniles son similares a la ♀, pero más marrones).

El ♂ tiene la cabeza marrón rojiza, pecho negro, parte trasera negra, dorso y flancos gris claro y una banda gris en el pico.

DATOS

Nombre científico *Aythya ferina*
Familia Anátidos
Largo 42-49 cm
Envergadura 67-75 cm
Nido Pila de vegetación cerca de la orilla del agua.
Huevos 6-11, verdosos
Nidadas 1 al año
Alimento Plantas acuáticas e invertebrados
Voz Suele ser silencioso fuera de la época de cría, cuando el ♂ emite un gruñido entrecortado y la ♀ produce un ronroneo agudo.
Comparación Algo más pequeño que el ánade real, similar al somormujo lavanco.
Dónde se ve Cría cerca de los lagos y marismas, donde hay agua de 1 m de profundidad, en toda Europa, con las poblaciones del norte y este que se desplazan al este y sur en invierno.

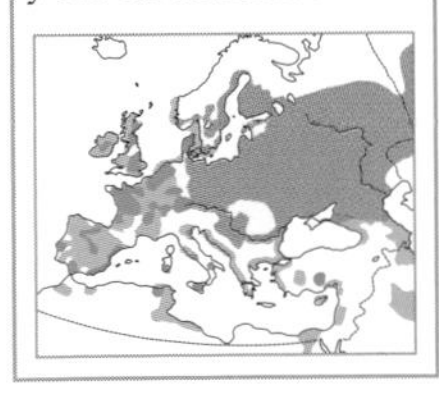

Es un pato buceador común en depósitos de agua y graveras en invierno, donde las bandadas suelen estar compuestas sobre todo de machos, que son más gregarios que las hembras. Hay ciertos rasgos en las hembras que pueden proporcionar una identificación cuando se ven solas. El perfil de la cabeza es característico con la frente inclinada y el pico largo. Por lo general, los porrones se sumergen en busca de comida, pero también pueden zambullir la cabeza como los patos.

Cuando despegan, los porrones suelen correr primero para coger impulso.

En vuelo, el cuerpo parece grande, con rápidos aleteos. Hay una amplia barra alar grisácea bordeada de negro a orillas de las alas.

SIMILARES

Focha común (p. 160) Redondeado, cuerpo negro. Pico blanco.

Cuchara común (p. 162) Cuerpo largo. Pico y cabeza grandes.

Ánade real ♀ (pp. 70-71) Más grande. Plumaje moteado. Cuello largo.

Ánade real ♂ (p. 70) Cabeza verde. Cuello algo largo.

Cormorán moñudo

El pecho de los juveniles es marrón uniforme y los pies son claros.

El plumaje de cría del adulto es verde oscuro lustroso, con un área gular amarilla.

En invierno el adulto tiene el plumaje verde muy oscuro, cara oscura, frente pronunciada y un pico estrecho y oscuro.

En vuelo las alas son bastante redondeadas y más cortas que las del cormorán común. El cuello es recto y fino.

DATOS

Nombre científico *Phalacrocorax aristotelis*

Familia Falacrocorácidos

Largo 68-78 cm

Envergadura 95-110 cm

Nido Pila de algas

Huevos 3, claro

Nidadas 1 al año

Alimento Peces

Voz Clics y gruñidos en los sitios de reproducción, pero por lo general son silenciosos fuera de la época de cría.

Comparación Más pequeño que el cormorán común.

Dónde se ve Esta ave ribereña cría en torno a las costas de Europa, incluido el Mediterráneo. Es sobre todo residente.

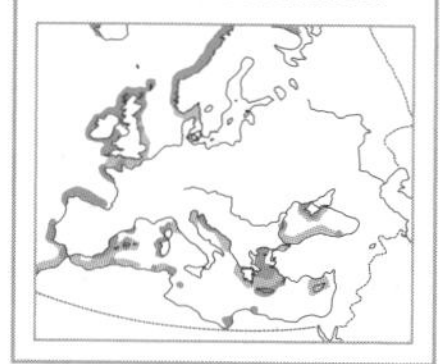

El plumaje de cría del cormorán moñudo es verde oscuro lustroso y con cresta. Bajo la luz, el dorso presenta un brillo metálico. Fuera de la época de cría, se parece al cormorán grande (ver p. 76), pero el moñudo es algo más pequeño y más fino. La frente del cormorán moñudo es más pronunciada que la del cormorán común.

En el agua, el cuerpo del cormorán moñudo es más corto que el del cormorán grande y, cuando se sumerge, chapotea en el agua con sonoridad.

Alcatraz atlántico

El adulto en verano tiene cabeza amarillo limón (que se vuelve más clara en invierno) y pies negros con rayado azul claro por los dedos.

El juvenil tiene plumaje moteado oscuro, que a veces parece casi negro.

A medida que el ave envejece, se observa más blanco en el plumaje. El ave que está a la derecha está en su tercer otoño.

En vuelo, las alas son largas con puntas negras. El cuerpo tiene forma de cigarro. Parece muy blanco.

La gran mayoría de los alcatraces atlánticos del mundo crían en las costas de Europa occidental. El tamaño y la blancura de los adultos son infrecuentes en las demás especies que se encuentren en estas aguas. Los alcatraces atlánticos tardan más de tres años en adquirir su plumaje adulto, pero las aves inmaduras oscuras se pueden identificar por el cuerpo con forma de cigarro y las largas alas.

Los alcatraces pescan zambulléndose desde una altura de unos 9 m para atrapar los peces con el pico.

DATOS

Nombre científico *Morus bassanus*

Familia Súlidos

Largo 85-97 cm

Envergadura 170-192 cm

Nido Pila de algas

Huevos 1, blanco

Nidadas 1 al año

Alimento Peces

Voz Gruñidos y cacareos chirriantes en las colonias de cría

Comparación Similar al cormorán grande

Dónde se ven Cría en colonias en las costas rocosas de Islandia, Noruega, Gran Bretaña, Irlanda, Bretaña y las islas del Canal. Fuera de la época de cría, los alcatraces se encuentran en el mar del Norte, Atlántico Norte y Mediterráneo occidental. Rara vez se avista tierra adentro, salvo cuando hay tormenta.

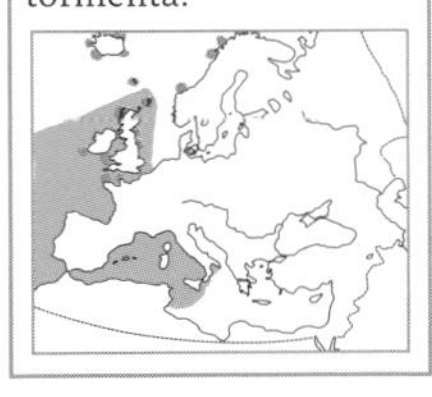

SIMILARES

Cormorán en vuelo **(pp. 76-77)** Cuello grueso y curvado. Alas más apuntadas. Mancha blanca en los flancos en el plumaje de cría.

Cormorán grande en invierno **(pp. 76-77)** Cuello grueso. Pico más grueso.

Somormujo lavanco en invierno **(pp. 72-73)** Pico apuntado. Cuello más fino.

Somormujo lavanco en vuelo **(pp. 72-73)** Dorso encorvado. Cuello estrecho. Pies salientes. Alas cortas.

Barnacla carinegra

DATOS

Nombre científico *Branta bernicla*
Familia Anátidos
Largo 55-62 cm
Envergadura 120-142 cm
Nido Hoyo revestido cerca del agua
Huevos 3-5, blanco amarillento
Nidadas 1 al año
Alimento Seda de mar, hierbas, gramíneas, plantas de marismas
Voz Llamada «gruk» gutural, emitiendo un sonido quejoso en bandadas.
Comparación Similar al ánade real
Dónde se ve Este ánsar que cría en la tundra se desplaza al sur a finales de otoño e inverna en las costas de Europa occidental, volviendo a sus terrenos de cría en mayo. Se alimenta de seda de mar y de otras plantas marítimas y pasta en las marismas y praderas costeras.

La barnacla carinegra de pecho claro tiene cabeza negra y cuello con visible collar blanco, dorso barrado gris oscuro poco definido, vientre gris claro y amplio blanco debajo de la cola.

La barnacla carinegra de pecho oscuro tiene cabeza negra y cuello con visible collar blanco, dorso gris oscuro, vientre gris oscuro y amplio blanco debajo de la cola.

Es una barnacla pequeña, que se comporta en muchas formas como un pato. Hay dos razas. La que tiene el pecho claro cría en Groenlandia y Canadá e inverna en Irlanda, con grupos en islas del norte de Noruega, invernando en Dinamarca y Northumberland. La raza con pecho oscuro cría en la Rusia ártica e inverna en el mar del Norte y en las costas del canal de la Mancha.

En vuelo, es evidente una marca blanca con forma de V y un amplio borde negro.

Ánsar común

El adulto tiene el cuello grueso, cabeza grande con una cara que parece pálida en comparación con el cuello oscuro, pico fuerte naranja patas rosas apagadas.

DATOS

Nombre científico *Anser anser*

Familia Anátidos

Largo 74-84 cm

Envergadura 149-168 cm

Nido Hoyo cerca del agua

Huevos 4-6, blanco

Nidadas 1 al año

Alimento Hierbas, gramíneas, raíces

Voz Vocalizaciones con llamada profunda y cortante «aahng, ung, ung»

Comparación Más pequeño que la barnacla canadiense, más grande que el ánade real

Dónde se ve Cría en las islas Británicas, Islandia, Escandinavia y Europa oriental, cerca de lagos poco profundos, juncales, marismas de agua dulce, costas rocosas e isletas ribereñas. Es el único ánsar gris que se ve en verano en Europa en grandes cantidades. La mayoría de las poblaciones son migratorias, invernando en países que bordean el mar del Norte y en el Mediterráneo y mar Báltico.

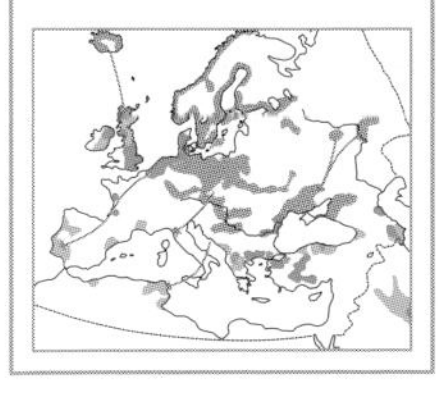

En vuelo, los bordes delanteros de las alas son gris muy claros, que contrastan con los bordes traseros oscuros.

Es el ánsar gris arquetípico, que es el antecesor de los gansos domésticos. Los ánsares comunes son migratorios, pero algunos pueden pasar el invierno en latitudes muy septentrionales, formando bandadas y alimentándose en los pastos, rastrojos y campos deportivos.

Las crías son amarillo claro.

SIMILARES

Barnacla canadiense en vuelo **(pp. 78-79)** Grande. Largo cuello negro. Mancha blanca debajo de la mandíbula.

Gallineta en vuelo **(pp. 70-71)** Cabeza destacada. Cola corta.

Cormorán en vuelo **(pp. 76-77)** Cuello curvado. Cola algo larga.

Cormorán en el agua **(pp. 76-77)** Cuello más grueso. Mentón blanco. Frente más plana.

Más información

Lecturas adicionales

DE JUANA, Eduardo y Juan Varela. *Aves de España.* Madrid, Lynx, 2005
PETERSON, Roger Tory, Guy Mountfort y P.A.D. Hollom. *Guía de campo de las aves de España y de Europa*. Barcelona, Omega, 1995
TUCK, Gerald y Herman Heinzel. *Guía de campo de las aves marinas de España y del mundo*. Barcelona, Omega, 1980
MANZANARES, A. *Guía de campo de las aves rapaces de España*. Barcelona, Omega, 1991

Páginas web

Sociedad Española de Ornitología: **www.seo.org**
Fundada en 1954, es una ONG de utilidad pública dedicada al estudio y a la conservación de las aves y la naturaleza. SEO/Birdlife es la organización representante de Birdlife International en España.

Birdlife International: **www.birdlife.org**
Esta asociación internacional está formada por distintas organizaciones conservacionistas cuyo objetivo es la conservación de las aves, sus hábitats y la biodiversidad global.

Pajaricos: **www.pajaricos.es**
Muy interesante página web que incluye además de la descripción y el canto, los nombres comunes recomendados por la SEO.

Avibase: **http://avibase.bsc-eoc.org/avibase.jsp**
Base de datos de aves internacional, con los nombres en latín y en varios idiomas.

Enciclopedia de las aves de España: **www.enciclopediadelasaves.es**
Para conocer las aves más representativas de España, así como su canto.

Índice